GRECKIE LISTY ALBO PERŁY I SZAMPANY

ALINA NETTO

GRECKIE LISTY ALBO PERŁY I SZAMPANY

WYDAWNICTWO
Nakom ● Poznań

Redakcja: Magdalena Wójcik
Projekt typograficzny: Jacek Grześkowiak
Projekt okładki: Marcin Ziółkowski

Fot. Jarosław Tarań/ Ośrodek KARTA, s. 59
Fot. Bogusław Nieznalski/ Ośrodek KARTA, s. 145

Wydawnictwo NAKOM
ul. Wielka 10
61-774 Poznań
tel./faks 61 852-83-82
tel. 61 852-97-47
www.nakom.com.pl
wydawnictwo@nakom.com.pl

ISBN 978-83-63919-04-7

Druk i oprawa: Sowa – druk na życzenie®
www.sowadruk.pl tel. 022 431-81-40

Dla mojej przyjaciółki Noortje,
która przetłumaczyła listy pisane po grecku

Mój drogi!

Czy pisałbyś swoje listy tak samo, gdybyś wiedział, że będą one kiedyś czytane przez innych niż adresat ludzi?

Wyjazd do Grecji dobrze mi zrobił. Ateny nie są może najpiękniejszym miastem świata, ale mają swoisty urok, tak jak wszystkie miasta Grecji. Ludzie tu żyjący wydają się mieć więcej czasu niż w innych krajach. Miasto ma niespieszny rytm ściśle związany z porami roku oraz wschodami i zachodami słońca. Jak wiesz, chętnie przyjeżdżam do Grecji, nie tylko zresztą do Aten. Kocham też greckie wyspy, zwłaszcza te małe, jeszcze nie zadeptane przez miliony turystów.

Najbardziej lubię Amorgos, do którego można dotrzeć tylko promem. Nie ma tam jeszcze lotniska i dzięki temu wyspa zachowała swój autentyczny charakter. Byłam tam już trzykrotnie. W tym roku także miałam zamiar tam się wybrać, do tego małego hoteliku, tak uroczo położonego na wzgórzu wśród starych drzew oliwkowych. Właścicielem jest sympatyczny Grek kochający gotować dla swoich gości.

Serwuje proste, ale cudownie świeże potrawy przyrządzone z miejscowych produktów. Przy każdym daniu opowiada, posługując się dobrym angielskim, historie o mieszkańcach wyspy. Zapytałam go kiedyś, gdzie nauczył się tak dobrze mówić po angielsku. Odpowiedział, że był żonaty z angielską lady (tak powiedział), która uciekła od niego z jednym z gości. „Znudziło ją to wszystko" - stwierdził. Byłam ciekawa, co mogło tak znudzić angielską lady, że uciekła z tej pięknej wyspy. Może był to ciągle ten sam widok z okien domu albo konieczność dogadzania gościom hotelowym. Może znudził ją jej własny mąż, mierny kochanek, jak się okazało, gdy pierwszy raz zdradziła go z przypadkowym gościem. A może brakowało jej angielskiej kultury i języka, bo greckim posługiwała się z trudnością. Nie zapytałam jednak o przyczynę jej ucieczki. Jej opuszczony mąż radził sobie zresztą doskonale z prowadzeniem hotelu i restauracji. Stałe grono bywalców z całej Europy, głównie dziennikarzy i pisarzy, regularnie odwiedzało jego hotel.

Jeszcze przed przyjazdem do Grecji zarezerwowałam sobie mój ulubiony pokój z widokiem na morze. Chciałam, jak zawsze, ilekroć jestem w Grecji, spędzić tam parę dni. Niestety z planów tych nic nie wyszło. Obsługa promów strajkowała i z tego powodu całe wakacje spędziłam w Atenach. Raz tylko wybrałam się samochodem w pobliskie okolice.

Mój pobyt w Atenach był bardzo udany. Mieszkałam u starych znajomych, których poznałam wiele lat temu. Ta przypadkowa znajomość podtrzymywana głównie świątecznymi kartkami i krótkimi listami przetrwała wiele lat. Widujemy się nieczęsto, ale w tym roku postanowiłam skorzystać z ich zaproszenia.

Przyjęli mnie bardzo serdecznie, jak to Grecy. Odebrali z lotniska, przygotowali mały, ale uroczy pokoik gościnny. W ciągu dnia biegałam po mieście, oglądając i zwiedzając wszystko, co się dało. Akropol, muzea, stare cerkwie, meczety, które się zachowały z czasów tureckiej hegemonii.

Wieczory spędzaliśmy zwykle w domu, na tarasie z pięknym widokiem na ruiny Akropolu. Jedliśmy kolację, omawiając wszystkie problemy współczesnego świata. Łączyło nas zainteresowanie polityką i kulturą. Niekiedy słuchaliśmy rembetiko. Moi gospodarze mają sporą kolekcję taśm i płyt z tradycyjną grecką muzyką. Nie zawsze jest ona łatwa w odbiorze, czasem drażni egzotycznym zawodzeniem i nieznaną melodyką. Starałam się jednak bardzo odkryć jej piękno, w czym z pewnością pomagała mi konsumpcja greckiego wina.

Po drugim kieliszku zawodzenie było dużo mniej irytujące, a po trzecim nogi same rwały się do tańca w rytm rembetiko.

Lubię odkrywać nowe rzeczy, będąc na wakacjach, słuchać nieznanej muzyki, jeść inne potrawy. Te przygotowywane co wieczór przez panią domu bardzo mi smakowały. Polubiłam nawet smażone na oliwie kotleciki jagnięce, a przecież właściwie nie lubię baraniny. Nie uważasz, mój drogi, że na wakacjach wszystko smakuje doskonale. Te same potrawy, które robię po powrocie do domu, tracą swój smak. Czy to kwestia klimatu, wina czy towarzystwa?

Parę razy wybraliśmy się do pobliskich tawern na kolację. Byliśmy też w kilku kawiarniach na kawie i lodach. Raz skusiłam się na słodkie, migdałowe babeczki pływające w czymś słodkim i tłustym. Były bardzo smaczne, ale ich kaloryczność skutecznie zniechęciła mnie do ponownej konsumpcji.

W niedzielę wybraliśmy się nad morze. Prawie cały dzień przesiedzieliśmy pod parasolem, rozmawiając i pijąc kawę, wodę, kawę, wodę, a później wino. Było gorąco. Dopiero wieczorem poszliśmy na spacer wzdłuż wybrzeża.

Dnie mijały szybko. Moje wakacje w Atenach zbliżały się do końca. Ostatniego dnia, już spakowana, pobiegłam do pobliskiego sklepiku. Chciałam kupić jeszcze parę drobiazgów na podróż. Przechodząc koło kontenera ze śmieciami, zobaczyłam leżącą w kartonie obok stertę listów z kolorowymi znaczkami na kopertach. Były ułożone w kilka ładnych stosików, tak jakby ten, kto je wyrzucił, chciał zwrócić na nie uwagę. Wszystkie adresowane były do tej samej osoby, mężczyzny z greckim imieniem mieszkającego w Polsce. Nadawane były w różnych miejscach świata, niektóre w Polsce.

Zaciekawiona zatrzymałam się, by przejrzeć leżące koperty. Były stare; niektóre ze znaczkami, inne bez, tylko z nazwiskiem adresata i często z adnotacją „Oddać do rąk własnych". Nie zawsze czytelne stemple pocztowe pokazywały daty sprzed trzydziestu i więcej lat. Spora część była pusta, ale niektóre koperty zawierały w środku listy. Niekiedy były też fotografie. Głównie młodych dziewcząt, ale znalazłam też zdjęcie samochodu marki Toyota, przed którym pozował mężczyzna w średnim wieku. I zdjęcie pustego sklepu. Były też listy miłosne. Większość z nich napisana była po polsku, ale były też listy pisane po grecku.

Nie miałam więcej czasu, by dokładnie przyjrzeć się mojemu znalezisku. Postanowiłam wziąć ze sobą zawartość kartonu. Ostatecznie ktoś, kto wyrzucił te listy, przestał już być ich właścicielem. Moi gospodarze, którym pokazałam zawartość pudła, byli tego samego zdania. Tak uspokojona przepakowałam wszystko do mojej walizki. Przeczytam je powrocie do domu – postanowiłam. Czułam się jak archeolog, który przypadkiem odkrył ślady jakiejś dawnej cywilizacji. Albo zapomnianego miasta. Ten nieistniejący już świat, zawarty w stosie starych listów, czekał na mnie w kartonie koło kontenera ze śmieciami. Wróciłam do domu podekscytowana znaleziskiem, które czekało na odkrycie.

Jednak po powrocie z wakacji zupełnie zapomniałam o greckich listach. Dopiero po paru tygodniach, kiedy już popłaciłam rachunki i załatwiłam wszystkie zaległe sprawy, znalazłam czas, by do nich wrócić. Zaczęłam od tego, że ułożyłam je, na tyle, na ile było to możliwe, chronologicznie. Większość listów została napisana pod koniec lat siedemdziesiątych, ale jest też kilka wcześniejszych i parę późniejszych, z początku lat osiemdziesiątych. Gdy czytałam te listy, powróciły moje własne przeżycia z tych lat. Jakże to odległe już czasy...

„Wrócę, zanim spadną liście z drzew"

NADAWCA: **Jolanta, Sztokholm, Szwecja**
ADRESAT: **Jorgos Panos, Wrocław, Polska**

Sztokholm, 27 lipca 1977

Kochany Jorgos!

Wczoraj pomyślałam sobie, że będę Cię nazywała Januszkiem. Nigdy jakoś nie polubiłam Twojego greckiego imienia Jorgos. Wiem, że Twoi rodzice tak Cię nazwali, ale ono jest takie poważne i ciężkie, nie pasujące do Ciebie. A nie będę Cię przecież nazywać Jorgoskiem, bo to brzmi nieładnie. A tak to mogę Cię nazywać Januszkiem. Zacznę więc jeszcze raz.

Kochany Januszku!

To mój pierwszy list od czasu, jak się rozstaliśmy. Smutno mi bardzo bez Ciebie i nie potrafię przyzwyczaić się do tego, że muszę być na razie sama. Chciałabym być z Tobą i przestać tęsknić. Tęsknię za cudownymi dniami, które spędziliśmy razem. Dziękuję losowi za to, że pozwolił nam się spotkać. Czułam się wtedy tak bardzo szczęśliwa. A później musieliśmy się rozstać. Pozostały nam listy i rozmowy telefoniczne, ale to przecież nie to samo. Dziś przez cały czas nie mogłam się doczekać chwili, kiedy usłyszę Twój głos. Rozmawiając z Tobą, byłam znów szczęśliwa. Przez chwilę, tak długo jak trwała nasza rozmowa, było tak jak dawniej – wspaniale. Zawsze tak jest, gdy jesteś koło mnie, blisko. Dzieli nas morze i tysiące kilometrów, ale kiedy słyszę Twój głos, zapominam o tym. Tyle że po rozmowie jest mi jeszcze smutniej.

Janusz, kocham Cię i szaleję z tęsknoty za Tobą. Myślałam, że to chwilowe, ot, taka wakacyjna miłość, która szybko przeminie, i dlatego bałam się mówić o tym. Ale teraz z każdym dniem upewniam się, że to nie złudzenie. Więc nie chcę już zostać na stałe w Szwecji. Przyjadę do Polski jak najszybciej, bo wszystko jest teraz inne, niż sobie zaplanowałam. Spotkanie z Tobą zmieniło moje życie na dobre. Wrócę, zanim spadną liście z drzew i zanim stracę to, co jest dla mnie najcenniejsze.

Kochająca Cię
Jolanta

P.S. Jestem taka dumna z tego, że wkrótce będziesz artystą. Ja także chciałam kiedyś studiować, ale stało się inaczej. Mam nadzieję, że zdałeś ten trudny egzamin na uczelni. Ja w każdym razie przez cały dzień myślałam o Tobie. Pomogło?

Mój drogi!

Moja przygoda z greckimi listami zaczęła się na dobre. Większość listów jest zaadresowana do mężczyzny nazywającego się Jorgos Panos, który mieszkał w tym czasie we Wrocławiu. Jeśli Jorgos był w drugiej połowie lat siedemdziesiątych studentem, to najprawdopodobniej urodził się mniej więcej w połowie lat pięćdziesiątych. Jesteśmy więc rówieśnikami. Ja już zdążyłam posiwieć, utyć i powoli staję się starą kobietą. Losy rzuciły mnie daleko od mojego rodzinnego miasta. Jak wiesz, wiele przeżyłam, i te doświadczenia nie zawsze były radosne.

Co stało się z Jorgosem? Kim stał się w ciągu tych lat. Czy jeszcze żyje? Przecież ludzie – jeśli taki los został im dany – umierają czasem młodo, nie doczekawszy starości. Może więc Jorgosa dawno już nie ma, a jego prochy rozwiały się powoli po całej Europie, nie zważając na granice? A może żyje w Szwecji szczęśliwie żonaty z Jolantą i stał się grubym i wesołym dziaduniem, zapatrzonym w swoje wnuki, których ma tuzin.

Nie mogłam się oderwać od czytania listów. Chciałam się dowiedzieć, kim był Jorgos i co się z nim stało. Możliwość wejrzenia w cudze życie i jego losy jest bardzo fascynująca. Była w tym także jakaś niezdrowa ciekawość; czułam się tak, jakbym podglądała kogoś przez dziurkę od klucza. I powiem Ci uczciwie, mój drogi, czytanie tych listów sprawiało mi wielką przyjemność!

„Tylko Ty jesteś moją niedzielą i odpoczynkiem”

NADAWCA: **Jolanta, Sztokholm, Szwecja**
ADRESAT: **Jorgos Panos, Wrocław, Polska**

Sztokholm, 29 lipca 1977

Kochany Januszku!

Czasem piszę do Ciebie listy, których nie wysyłam. Nie mogę przecież zamęczać Cię moimi listami, a Ty piszesz rzadko. Wiem, że jesteś zajęty i masz pełno roboty na studiach, ale brak mi jest Ciebie. Moje życie było prostsze, kiedy Cię jeszcze nie znałam. Nie musiałam tęsknić, a teraz jest inaczej. Tęsknię i czekam, kiedy się znowu spotkamy. Dzieli nas tyle tysięcy kilometrów, ale ja jestem z Tobą prawie zawsze myślami.

Tylko jak pracuję, zapominam na chwilę o Tobie i mojej tęsknocie. Tęsknię za Tobą i za Polską. Tęsknię za naszymi rozmowami, za Twoim głosem. To mi najbardziej dokucza. Ale brak mi jest też polskiego języka na co dzień. Często czytam sobie na głos kawałek polskiej gazety albo książki. Tylko po to, żeby usłyszeć dźwięk słów. Jak by ktoś mnie zobaczył, to by pewnie pomyślał: „co za wariatka”, ale trudno. Zresztą i tak mnie nikt nie widzi, bo mieszkam sama. Więc może dlatego właśnie tak często piszę do Ciebie. Najpierw „na brudno”. Później przerabiam mój list, czytam go głośno, skreślam i poprawiam. Jak jestem zadowolona, to przepisuję wszystko „na czysto” i dopiero wysyłam. Ale też nie zawsze, bo na przykład wczoraj napisałam list do Ciebie, ale on nie był ciekawy. Więc go nie wysłałam. Moje życie też przecież nie jest takie ciekawe, więc nie mam o czym pisać. Wstaję, jadę autobusem do pracy, pracuję, pracuję, wracam autobusem, po drodze kupuję coś do jedzenia, jem i idę spać. A następnego dnia znowu to samo.

Tylko Ty jesteś moją niedzielą i odpoczynkiem. Jaka szkoda, że tylko w myślach mogę być z Tobą. Nie wiem dokładnie, kiedy się znowu zobaczymy, ale może już niedługo. Jeszcze tylko trochę popracuję i odłożę parę groszy, bo w Polsce każdy dolar się liczy. Muszę wykorzystać te możliwości, które mam. Tylu ludzi z Polski chciałoby być na moim miejscu i tutaj pracować. Zresztą Ty też mi to mówiłeś i to jest racja.

Śniłeś mi się dziś w nocy i dzięki temu obudziłam się w dobrym nastoju. Nie chciało mi się wychodzić z ciepłego łóżka i zaczynać kolejny samotny dzień w Sztokholmie. Iść do pracy, której nie lubię. Wracać do pustego pokoju, który, na szczęście, nie kosztuje mnie zbyt wiele. Tak naprawdę to jest mój pierwszy samodzielny pokój, bo dotąd zawsze mieszkałam z innymi. Nie skarżę się więc. Takie jest życie. Mój sen był piękny. Byliśmy na plaży, sami, tylko Ty i ja, tak jak wtedy nad Bałtykiem. Leżeliśmy na ciepłym nadmorskim piasku, a Ty mówiłeś coś do mnie, bawiłeś się moimi długimi włosami, które we śnie były całkiem jasne. Dziwne, bo przecież naprawdę mam włosy krótkie i wcale nie blond, tylko jasnobrązowe. Nie słyszałam, co do mnie mówiłeś, bo szum morza stawał się coraz głośniejszy. Wielkie skrzeczące mewy latały nad naszym kocem i zagłuszały naszą rozmowę. Starałam się zrozumieć Twoje słowa, ale tak naprawdę było mi wszystko jedno, co mówiłeś. Sama Twoja obecność, ciepło słońca i zapach morza mi wystarczały.

Byłam taka szczęśliwa w moim śnie, zupełnie jak wtedy. Kiedy się obudziłam, leżałam jeszcze przez długą chwilę w Twoich objęciach, ale zaraz zadzwonił budzik. I wtedy zniknęło morze i mewy i Ty, a wrócił mój mały pokoik na przedmieściach Sztokholmu.

Pozdrawiam Cię serdecznie
Twoja kochająca Jolanta

Mój drogi!

Kiedy czytam listy greckie, jak je nazwałam, wiele zatartych już wspomnień wraca do mnie. Przypominam sobie znienacka nazwiska i imiona osób dawno nie widzianych, nazwy zapomnianych miejscowości, kolory i zapachy pokojów i domów, gdzie mieszkałam wiele lat temu. Nie uwierzysz pewnie, ale mój pierwszy pokój, w którym zamieszkałam po wyjeździe z Polski, był za darmo. Mieszkałam wtedy w jednym z niewielkich miast zamożnego zachodniego kraju.

Miasteczko było prześliczne, czyściutkie i bardzo nudne. Mój pokój miał własną maleńką łazienkę i osobne wejście z ulicy. Z jego okien widać było niewielki skwer i zaparkowane przed nim auta. Był słoneczny, jasny, wyposażony w lekkie, czyste meble. Czułam się tam doskonale mimo samotności. Pokój mój był częścią niewielkiego domu, którego właścicielką była starsza kobieta, z pochodzenia Polka. Poznałam ją, szukając taniego mieszkania albo pokoju do wynajęcia. Pokój, który mi zaoferowała, był „kredytem od Pana Boga", jak mówiła. Nie musiałam za niego płacić, a jedynie robić zakupy dla starszej pani. Często też prosiła mnie o wyjście z jej psem Hultajem na spacer.

Nie było to moje ulubione zajęcie. Bardzo nie lubiłam zbierania świeżo zrobionych przez Hultaja kup. Co komu przeszkadza taki naturalny nawóz, nie mogłam zrozumieć. Starałam się chodzić z psem na spacer dostatecznie daleko, tak żeby ani jego właścicielka, ani jej sąsiedzi nie mogli nas zobaczyć. Tam, w bezpiecznym już miejscu nakazywałam Hultajowi natychmiastowe wypróżnianie się, ale psisko nie zawsze rozumiało moje rozkazy. Nawet próby pokazywania, o co chodzi, nie zawsze pomagały. A bliżej domu nie mogłam sobie pozwolić na zostawienie psich odchodów na ulicy. Jego właścicielka, bojąc się sąsiadów, wyraźnie mi to powiedziała.

Nie lubiłam wychodzić z Hultajem również z innego powodu. Hultaj szarpał się na smyczy i co gorsza, lubił się gryźć z innymi psami. Mimo to byłam starszej pani bardzo wdzięczna za możliwość mieszkania u niej za darmo, więc robiłam, o co mnie prosiła. Plusem moich spacerów z Hultajem był fakt, że szybko nauczyłam się w języku kraju, w którym później zamieszkałam, wyrażeń typu „puść to", „nie gryź", „a pójdziesz, ty cholero". Przydało mi się to w późniejszym małżeńskim życiu wielokrotnie.

„Czy Twoi rodzice chodzili na msze do kościoła?”

NADAWCA: **Jolanta, Sztokholm, Szwecja**
ADRESAT: **Jorgos Panos, Wrocław, Polska**

Sztokholm, 30 lipca 1977

Kochany Januszku!

Dziękuję Ci, bo nareszcie dostałam od Ciebie list, a właściwie kartkę. Tak się ucieszyłam, że czytałam ją parę razy i włożyłam pod poduszkę, żebyś mi się przyśnił. Rozumiem, że masz dużo zajęć na uczelni, ale jednak brak mi jest Twoich listów.

Pytasz mnie, jak mi idzie praca, no to Ci powiem, że idzie. Nie to, żebym strasznie ją lubiła, ale praca to praca, a zapłata to zapłata. I to się liczy, prawda, kochany Januszku? Co Ci mam mówić – można wytrzymać, są gorsze prace niż moja. A płaca nie jest przecież zła, zwłaszcza jak się wymieni szwedzkie korony na polskie złote na czarnym rynku. Może nawet starczyłoby na jakieś małe mieszkanko? Przebicie jest takie, że w Polsce musiałabym na to pracować przez długie lata, sam wiesz.

Najgorsze są tutaj niedziele. W soboty załatwiam zawsze różne spawy i robię zakupy, ale w niedziele to już naprawdę nie ma co robić. Więc najpierw odsypiam, bo to ranne wstawanie to nie jest żaden cymes, a później to już się tylko snuję po domu przez cały dzień. Albo wychodzę się przejść, żeby złapać trochę świeżego powietrza.

W ubiegłą niedzielę chciałam pójść na mszę do kościoła, ale nie mogłam go znaleźć. No wiesz, mam na myśli kościół katolicki. Niby miałam adres i poszłam na piechotę, ale i tak się pogubiłam. Ostatecznie Sztokholm to spore miasto i jak się go dobrze nie zna, to można się pogubić. Kiedyś weszłam tutaj do małego protestanckiego kościoła, ale co to mi za kościół. Ani obrazów, ani rzeźb, ani kwiatów. Pusto jakoś i zimno i Boga pewnie tam też nie ma. Ludzi tam żadnych nie było, tylko jakiś staruszek siedział w ostatniej ławce. Może zresztą też nie miał nic lepszego do roboty tak jak ja. Posiedziałam tam trochę, ale nawet modlić mi się nie chciało.

Nie wiem, ile ludzi przychodzi tam na msze, może więcej. Ostatecznie pewnie i w Szwecji trzeba pokazać sąsiadom, że w niedzielę chodzi się do kościoła.

Będę musiała poprosić moją polską koleżankę, żebyśmy razem wybrały się kiedyś do tego polskiego kościoła. Ten kościół, tak naprawdę, wcale nie jest polski, tylko szwedzki, ale co niedziela są tam odprawiane msze po polsku. Ona wie, gdzie to jest. Nie to, żebym nagle się zrobiła taką wielką katoliczką, ale niedziela by szybciej zleciała i może jakichś ludzi bym spotkała...

Właściwie to zastanawiałam się, czy Ty, Januszku, też jesteś katolik i nie wiem. Pewnie tak, bo przecież urodziłeś się w Polsce, a w Polsce wszyscy są katolikami, ale tak do końca to nie wiem. Czy Twoi rodzice chodzili na msze do kościoła? Są przecież Grekami, więc nie wiem, czy tak było. Może chodzili do cerkwi? Albo, co gorsza, może oni wcale nie chodzili do żadnego kościoła? Więc musisz mi kiedyś o tym opowiedzieć. Nie to, żebym się o to martwiła, bo i tak będę Cię zawsze kochać, ale dobrze jest wiedzieć, co i jak.

Kończę już na dziś, bo jestem zmęczona
Pozdrawiam Cię serdecznie
Twoja kochająca Jolanta

„Wpadnijcie czasem do mojej mamy zobaczyć, jak ona się czuje"

NADAWCA: **kuzyn Andres, Ateny**
ADRESAT: **Jorgos Panos, Wrocław, Polska**

Ateny, 2 listopada 1977

Cześć Jorgos!

Dostałem Twój list przedwczoraj, no i dzisiaj odpisuję, ale się zmartwiłem, że nie znalazłeś mojej dawnej konkubiny. Co się z nią stało, z tą moją konkubiną, że już nie mieszka w Polsce i że nie mogłeś jej dać tych pieniędzy ode mnie? Gdzie ją poniosło i po co? Po co to jeździć tak w te i we wte po świecie, jakby jej ktoś za to płacił, nie rozumiem. Chciałem jej dać tę forsę tak na pamiątkę ode mnie i też, żeby miała kobieta na jakieś wydatki, niełatwo jej przecież samej z dzieckiem. Tak jak zrozumiałem z Twojego listu, sąsiedzi nie wiedzieli dokładnie, dokąd pojechała, tylko że wyjechała za granicę do rodziny. Może już papiery dostała i do Grecji wróciła, albo może pojechała do swojej ciotki w Czechosłowacji, kto to wie.

Ale nie mam ich adresu, rozumiesz, tej rodziny mojej konkubiny, więc nie mam jak jej szukać. Sama sobie winna, bo chciałem jej pomagać i dzieciakowi też przydałyby się jakieś pieniądze, jeszcze trochę i do szkoły pójdzie, ale jak nie, to nie. Pewnie to by było na tyle, koniec pieśni, jednak dziękuję Ci za to, co dla mnie zrobiłeś, jesteś w porządku. Jestem Ci za to wdzięczny i o tym szmalu nie ma co mówić. Zatrzymaj te pieniądze dla siebie i matki, jakby nie było, jesteś moim kuzynem, a to rzecz święta, rozumiesz, w tym temacie nie ma sporów.

W Atenach powoli robi się zimno, ale mnie jest bardzo ciepło i mam już od paru dni świetny humor, taki na sto dwa. Myślę też, że i Wy będziecie się radować, bo właśnie dostałem IFAGIENIA!!! i teraz będę sobie wyrabiał DIAWATIRIO. Więc jak mnie dali Ifagienia, to już i innym też będzie łatwiej wyrobić sobie papiery, rozumiesz, i to jest dobre. Wiosną przyjadę do Polski, ale – uwaga – już z greckim paszportem, więc nie mogę się już doczekać. Oj, Zosia się ucieszy – będzie wesele! Teraz to już na pewno będzie się chciała uczyć greckiego języka, no bo jak inaczej w Grecji żyć, nie ma co, sam wiesz, jakie to ważne. Moja matka właściwie nigdy dobrze nie nauczyła się mówić po polsku, że niby już za stara była na naukę, jednak ja myślę, że jej tęsknota najwięcej przeszkodziła w temacie nauki polskiego. No i przez to zawsze musiałem jej tłumaczyć wszystkie urzędowe listy i też za nią pisać podania i to pewnie też nie dodało jej lat, tylko odebrało, ale co zrobić, takie życie.

Zosia już dawno mi obiecała, że jak tylko dostanę IFAGIENIA i DIAWATIRIO, to ona zabierze się do nauki greckiego. No niby, że ona przecież nie będzie się uczyć języka, jak nie wiadomo, czy dostaniemy pozwoleństwo na pobyt na stałe w Grecji, bo to żadna inwestycja. Nawet poszła do wróżki, żeby o to zapytać, a ta najpierw wyciągnęła od niej kupę pieniędzy, ale później powiedziała jej, że czeka ją urzędowy list z dobrą wiadomością. Zosia myślała, że to może wreszcie list z banku, że to te dolary, co jej ciotka z Ameryki obiecała i ciągle nie przysyła, obiecanki cacanki, tak myślała Zosia, no to teraz już wie, że to naprawdę tylko obiecanki cacanki i żadnych dolarów nie będzie. Ale co tam te dolary, jak ich i tak nie widać, lepsze jest to, że spotkało mnie teraz takie szczęście. Już właściwie przestałem mieć nadzieję, że kiedyś się uda i że dostanę z powrotem obywatelstwo i paszport grecki. A TU PROSZĘ. Oj – będzie wesele, jestem cały szczęśliwy, rozumiesz.

Już nawet myślę o kupieniu kaloryferów elektrycznych, bo to jest naprawdę dobra inwestycja, taka na przyszłość, rozwojowa. Ateny są zimą nieprzyjemne, ogrzewania nie ma, a sam wiesz, jak Zosia lubi sobie grzać dupcię w ciepełku. Nawet mi kiedyś powiedziała, że pewnie by ze mną nigdy nie chciała być na poważnie, jakbym był na przykład Eskimosem. No, że niby jakbym kiedyś wrócił do swoich, to ona miałaby problem, bo tam zimno, zimno, a na dodatek oni, ci Eskimosi, mieszkają w lodowych domkach. I ona Zosia wcale by się kwapiła zamieszkać ze mną w takim domku. Ale to wcale nieprawda, bo K., który widział prawie cały świat pływając na statkach, powiedział, że Eskimosi mieszkają w normalnych drewnianych domach. I że oni piją dużo, pewnie żeby się rozgrzać, wiadoma sprawa, ale co tam Eskimosi. Teraz mamy Grecję w temacie!

Jak ja się dowiedziałem, że nareszcie dostałem te papiery i będę mógł wyrobić sobie grecki paszport, to też wypiłem sobie troszeczkę z radości, nawet kapkę więcej niż troszeczkę, rozumiesz, okazja taka raz na sto lat.

I wszystkim znajomym i rodzinie tu w Atenach postawiłem, taki byłem zadowolony. Teraz jeszcze tylko ożenię się z Zosią i będę czekać, aż urodzi mi syna albo dwóch, chociaż właściwie jakaś córeczka też by się przydała, powiedzmy więc, niech rodzi dwóch chłopaków i dziewczynkę. Nic już więcej do szczęścia mi nie potrzeba, no może jeszcze tylko większe mieszkanie by się przydało, zwłaszcza jak tyle dzieciaków będzie, ale na razie zacznę od kupienia kaloryferów elektrycznych, zanim to większe mieszkanie będzie. Od czegoś trzeba zacząć, rozumiesz, a poza tym będzie mnie to kosztować tyle samo co ropa, ale bez noszenia, wlewania i zapalania i też bez brudu i smrodu.

Oj – Zosia się ucieszy, będzie wesele!!!

S., wiesz, o kim mówię, już tydzień jest znowu „wilkiem morskim", bo się zamustrował na statek i poleciał do Rotterdamu. Nie wiem, ile dostanie pieniędzy miesięcznie, ale pewnie niemało, bo będzie pływał na statku firmy Onassis, a ten to ma takie pieniądze, że na nich śpi. Chociaż z tymi bogatymi to nic nie wiadomo, skąpiradła często są takie, że normalnemu się w głowie nie mieści, a oni nic, tylko skąpią i skąpią i dlatego mają takie majątki. Ja nie wiem, czy ten Onassis też jest taki, ale my go tutaj nazywamy „O nasi!" Jeszcze nie dostałem od niego żadnego listu ani wiadomości, chociaż obiecał mi, że zobaczy, czy uda mu się załatwić mi jakąś robotę na statku, najlepiej, żeby nieźle płatną mi załatwił, rozumiesz.

Przyjmijmy dla łatwości, że oni na tych statkach nieźle płacą, to już będzie całkiem dobrze. A do tego można zobaczyć kawałek świata za darmo, człowiek się przewietrzy trochę, to i lepszy będzie w małżeństwie, jak przyjedzie do domu na urlop, bo cierpliwość większą ma do żony. Niech sobie kobieta pomarudzi, że kran wiecznie cieknie i już 3 miesiące trzeba go zreperować, a ona sama musi sobie ze wszystkim radzić. Człowiek pobędzie trochę w domu, odpocznie, może nawet ten kran zreperuje i znowu jedzie w morze zarabiać dla siebie i Onassisa pieniądze. Teraz jak będę miał grecki paszport, to na pewno łatwiej będzie załatwić to pływanie na statku, tym bardziej że w temacie pracy wcale nie jest łatwo w Grecji, ile się trzeba naszukać, żeby coś dostać, oj, niełatwe teraz czasy, ale kiedy były łatwe.

Mam też prośbę, żebyś się dowiedział, czy ta gruba kuzynka Anna zamierza przyjechać do Grecji i na jak długo? Nie chcę do niej sam pisać i pytać, bo jeszcze pomyśli, że ją zapraszam, a tak nie jest, ale jak już przyjedzie, to będę jej musiał pomóc. Wiadoma sprawa, że jak trzeba pomóc, to się pomoże, ale też nie chcę, żeby za długo była u mnie, bo muszę odłożyć pieniądze na wesele. Wpadnijcie czasem do mojej mamy zobaczyć, jak ona się czuje, trzeba wziąć autobus 57 i wysiąść na pierwszym przystanku za Wrocławiem, ale to pewnie pamiętasz.

Już do niej dzwoniłem z dobrymi wiadomościami, ucieszyła się i nawet rozpłakała z radości, co rozumiem. Lata lecą i nie ubywa ich, tylko przybywa, a ona coraz słabsza. Zosia też już u niej parę razy była zobaczyć, jak ona się czuje. Biedna, ona tak chciałaby być w Grecji, a nie w zimnej Polsce, a ja już nie wiem, czy kiedyś spełni się jej marzenie, czy doczeka.

Teraz przynajmniej ja będę mógł mieszkać w Grecji legalnie i spróbuję ściągnąć ją do siebie, ale jak to długo potrwa, to nikt nie wie i ja też nie, a ona swoje lata już ma. Jednak zrobię, co będę mógł, żeby przyjechała do Ojczyzny, najszybciej jak to możliwe. Niech sobie chociaż na koniec życia popatrzy na greckie słońce i poje greckich pomidorów.

To by było na tyle dziś. Pozdrów rodziców i brata
Kuzyn Andres

Mój drogi!

Sprawdzam w słowniku, co znaczy po grecku IFAGIENIA i DIAWATIRIO. IFAGIENIA to obywatelstwo, a DIAWATIRIO to paszport.

Jakież to piękne słowo – paszport. Pamiętasz, ile się dawniej trzeba było natrudzić w Polsce, by dostać paszport na wakacje? Te wszystkie formularze, zaproszenia, potwierdzenia stanu konta z banku o posiadaniu przynajmniej stu dolarów... Zaświadczenia z administracji o niekaralności i higienicznym trybie życia. I te kolejki w urzędach i bankach, w których trzeba było odstać swoje. A później biuro Milicji, gdzie nigdy nie było wiadomo, czy wszystkie te wysiłki zaowocują w końcu pachnącym, czerwonym paszportem. Może tak, a może dopiero wtedy, gdy obieca się po powrocie zdać sprawozdanie z podróży. Gdzie się było, z kim i dlaczego. Co kto mówił i gdzie przebywał. Nic ważnego, niewielkie, nieszkodliwe dla nikogo informacje. Ot, takie tam zbieranie anegdot. Nic specjalnego.

Wreszcie, jeśli miało się szczęście, dostawało się upragniony dokument. Należało jeszcze tylko odstać parę godzin w ambasadzie w oczekiwaniu na prześliczny stempel wizy. I już świat stał otworem, można było jechać do Niemiec, Holandii, Szwecji. Zachód czekał z niecierpliwością na przybyszów w Polski. Nie, to nieprawda, to przybysze z Polski nie mogli się doczekać wyjazdu na Zachód. Tak się wtedy mówiło, pamiętasz, „wyjechać na Zachód", jakby wszystkie te, tak przecież różne, kraje Europy Zachodniej tworzyły jakąś jedność. I może właściwie też tak było, bo ten mityczny Zachód był inny, pachniał inaczej, wyglądał inaczej i oddychało się tam inaczej. Ale największa chyba różnica polegała na tym, że ludzie tam żyjący byli inni i mieli paszporty w domu. Byli wolni, jeździli, dokąd chcieli, i nie musieli cieszyć się z faktu, że „dostali paszport".

„Kończę szkołę i mam sporo z tym roboty"

[list pisany po grecku]

NADAWCA: **kuzynka Markella, Brno, Czechosłowacja**
ADRESAT: **Jorgos Panos, Wrocław, Polska**

Ostrawa, listopad 1977

Hallo Jorgos!

Dzięki za Twój list. I też dziękuję Ci za Twoją fotografię. Moją dostaniesz, jak tylko wywołam najnowsze zdjęcia. U nas wszystko w porządku. Mama była ostatnio w sanatorium w Mariańskich Łażniach i wróciła bardzo zadowolona. Była tam pierwszy raz, ale podobało się jej. Cały czas musiała pić wodę mineralną i leżeć w wannie pełnej błota. Nie wiem, co może być w tym fajnego. Poza tym nic ciekawego.

Jeśli chodzi o kwestię powrotu do Grecji, to mogę Ci powiedzieć, jak to tutaj wygląda. Dużo Greków, którzy mieszkają w Czechosłowacji, dostało już papiery na repatriację, ale ci, co chcieli wyjechać do Grecji tylko na wakacje – nie. Zwłaszcza ci młodzi mają kłopoty z dostaniem paszportu na krótki wyjazd. Nikt nie wie właściwie dlaczego, ale tak już jest i tyle. No więc widzisz, że my mamy takie same problemy.

Dużo rodzin jednak zdecydowało się już na powrót do Grecji na stałe. Moi rodzice też coś na ten temat mówili, ale ja wolałabym zostać tutaj. Mam tyle fajnych koleżanek w szkole. Ja i mój brat Aris chcielibyśmy za to w przyszłym roku pojechać do Grecji na wakacje. Może się uda, chociaż moja mama mówi, że lepiej będzie, jak tylko Aris będzie się starał o paszport. Wtedy podobno są na to większe szanse. A poza tym mama mówi, że jestem jeszcze za młoda na takie podróże. Tego to już zupełnie nie rozumiem. Teraz kończę szkołę i mam sporo z tym roboty. Napisz jeszcze kiedyś.

Pozdrawiam, a mój brat Aris ściska Ci grabę
Twoja kuzynka
Markella

„Właściwie jesteś drugi”

[list pisany po grecku]

NADAWCA: **kuzynka Maria, Salamina, Grecja**
ADRESAT: **Jorgos Panos, Wrocław, Polska**

Kochany Jorgos!

To już drugi mój list do Ciebie i jednocześnie ostrzeżenie. Jak teraz mi na niego nie odpowiesz, to święty boże nie pomoże, skreślam Cię i już. A to, że jesteś moim kuzynem, to nie ma nic do rzeczy, masz pisać i tyle, Ty niewyczesany kundlu grecki. Właściwie to ten list nie jest wcale drugi, tylko trzeci. Poprzedni napisałam już dawno, ale ciągle zapominałam go wrzucić do skrzynki. A kiedy nareszcie wzięłam go ze sobą po drodze do pracy, to zgubiłam go w autobusie. Albo zostawiłam w sklepie, jak kupowałam papierosy. Właściwie nie wiem, co się z tym listem stało. Może to zresztą i lepiej, bo on wcale nie był ciekawy. Tylko narzekałam w nim na wszystko, a głównie na rodziców. Humor miałam nietęgi z powodu mojego ojca, który potrafi być upierdliwym starym greckim osłem. Zwłaszcza jak zaczyna się wtrącać w nie swoje sprawy. Wiesz, co mam na myśli. Ten list jest dużo lepszy.

Ciekawa jestem, czy nadal studiujesz, i życzę Ci najserdeczniej, żeby to była prawda. W końcu u nas w rodzinie będziesz pierwszy, co studiuje na uniwersytecie, nie licząc Twojego brata Markosa. Więc właściwie jesteś drugi, dobre i to. Napisz mi też, co Ty właściwie studiujesz, bo jak mnie ktoś pyta, to mówię, że studiujesz kierunek artystyczny, ale jaki dokładnie – nie wiem. Malarstwo? Chyba tak i już nawet widzę siebie jako Twoją Muzę, bez której obecności pędzla nie ruszysz. Tak podoba mi się ta myśl. Ty zostaniesz wielkim artystą, a ja będę Twoim natchnieniem. Tylko nie wyobrażaj sobie, Ty nadgryziony pomidorze, że będę tolerowała jakieś inne modelki. Nie i jeszcze raz nie. A może Ty wcale nie malarstwo studiujesz, tylko rzeźbę? Już sama nie wiem. W każdym razie mam nadzieję, że pieniądze będziesz z tego jakieś miał, bo samo bycie artystą garnków nie napełni. Napisz mi też, czy masz kontakty z resztą rodzinki w Czechosłowacji; rozjechali się wszyscy po świecie, nie ma co.

No to będę kończyć, ucałuj rodziców i Twojego brata. Napisz mi też, czy on z tą swoją Krysią to tak na poważnie? Mam nadzieję, że nie. I Ty też nikogo nie szukaj. Lepiej rozejrzyj się wśród swoich, masz takie fajne kuzynki. Tylko nie myśl o Markelli, chyba to jasne, to jeszcze dziecko. A kuzynka Anna jest za gruba dla Ciebie. Więc pozostaje tylko... (pomyśl sam)

Ściskam Cię i proszę pozdrów swoich rodziców
Kuzynka Maria

Mój drogi!

Czytam te listy jeszcze raz i jeszcze raz. Nie bardzo mogę zrozumieć, o co tu chodzi. Grecy w Polsce? Kuzynka w Brnie? Kuzyn Andres nareszcie w Atenach? Stara matka tęskniąca za powrotem do Grecji? Listy po polsku i grecku? Dwujęzyczni adresaci z niezwykle trudnymi greckimi nazwiskami, Jorgos nazywany pieszczotliwie Januszkiem? No i te starania o paszport, o wizę, o przywrócenie obywatelstwa greckiego?

Jaką tajemnicę skrywają te listy? Pamiętam, że w Polsce żyli ludzie greckiego pochodzenia: znakomity tenor Paulos Raptis, piosenkarka Eleni, wielu innych muzyków. Nigdy nie zastanawiałam się, jak i dlaczego oni albo ich rodzice znaleźli się w Polsce. W każdym kraju są przecież ludzie, których los przygnał z innych części świata. Ot, choćby moja babcia, pół-Cyganka, która urodziła się na dalekiej Ukrainie, młodość spędziła na Sybirze (tak nazywała Syberię), a potem znalazła się w Polsce, nie znając ani słowa w tym języku. Zamieszkała ze swoim mężem, łódzkim Żydem, który po wojnie nie odnalazł w rodzinnym mieście nikogo, nikogusieńko ze swojej bardzo licznej rodziny. Ale to inna historia. I kiedyś na pewno Ci o niej opowiem.

Jakie wiatry przygnały Greków do Polski? Szukam wiadomości w Internecie. Tak, oczywiście wojna. Po drugiej wojnie światowej w Grecji rozpoczęła się wojna domowa. Monarchiści, demokraci, socjaliści, komuniści i kto tylko mógł nosić broń, starli się ze sobą w długoletniej, wyniszczającej kraj walce. Tysiące ludzi mordowało się z entuzjazmem, a wszyscy mając nadzieję na lepszą przyszłość i broniąc swojej prawdy.

Wielkie mocarstwa wspierały, czym mogły, swoich podopiecznych. Cichą dyplomacją, pieniędzmi, dostawami żywności, a przede wszystkim kulami i kulkami, pistoletami, bronią maszynową i innym ciężkim uzbrojeniem. Angielscy monarchiści pomagali greckim monarchistom, radzieccy towarzysze greckim komunistom, nawet Albania włączyła się do tej krwawej wojny. Nie wiem tylko, po której stronie. Wojna ta trwała wiele lat, pod koniec lat czterdziestych wyjechało, albo nazywając rzecz po imieniu, uciekło w jej wyniku ponad 50 tysięcy osób. Do Macedonii w Jugosławii, do Związku Radzieckiego, Polski, Czechosłowacji. Ludzie ci zostali w Grecji pozbawieni wszystkich praw, majątków, obywatelstwa greckiego.

Do Polski trafiło kilkanaście tysięcy osób. Najpierw były to dzieci (często sieroty), później kobiety, a na końcu mężczyźni. Wielu było rannych, którzy leczeni byli w tajnym szpitalu gdzieś na Pomorzu. Wszyscy żyli, bezpodstawną, jak się szybko okazało, nadzieją powrotu do Grecji. Prasa polska milczała na ten temat. Przez długie lata nie ukazała się żadna informacja o „akcji pomocy greckim towarzyszom". Ani o straumatyzowanych sierotach greckich zamieszkujących ośrodki wychowawcze, ani o problemach, jakie mieli greccy emigranci w pierwszym okresie ich pobytu w Polsce. Bez języka, mieszkania, często bez zawodu, żyli w Polsce przez dziesięciolecia w poczuciu tymczasowości jako bezpaństwowcy. Powrót do Grecji był niemożliwy aż do połowy lat siedemdziesiątych.

Ale wracajmy do listów.

„Wybaczam Ci wszystkie błędy ortograficzne, które robisz w liście”

[list pisany po grecku]

NADAWCA: **kuzynka Maria, Salamina, Grecja**
ADRESAT: **Jorgos Panos, Wrocław, Polska**

Mój kochany Jorgos i Markos!

Do Ciebie, Markos, to właściwie nie mam co pisać, bo Ty i tak nigdy nie odpisujesz. Tak samo zresztą jak Twój brat Jorgos, który tylko od czasu do czasu coś tam skrobnie. Już się bałam, że zapomnieliście o mnie. Jorgos, piszesz, że często o nas myślisz. Ale to samo mogę powiedzieć i o nas – my też często myślimy o Was.

W ostatnią sobotę spotkaliśmy się wszyscy u Thodory. Było wesoło, ale nie za wesoło. Wiesz, co mam na myśli. Wypiliśmy kapkę, ale nie tak, żeby nie wiedzieć, co robimy. Już powoli stajemy się chyba dorośli i nudni. Poza tym niewiele się u nas dzieje, tyle że sporo jest teraz szumu z powodu zbliżających się wyborów. Ale musielibyście to zobaczyć, jak się to tutaj odbywa... szkoda gadać.

Jorgos, dziękuję Ci, że tak się interesujesz moim życiem płciowym (jak piszesz) i zapewniam Cię, że wszystko jest w porządku. Najlepsze jest to, że Wy sami macie pełne ręce (ręce?) roboty z Waszymi polskimi kobietami. Ty z tą, jak ona się tam nazywa, Halusią, a Twój brat z Krystyną. Ale tak naprawdę to nie rozumiem, dlaczego związaliście się z Polkami. Głupio też, że Twój brat nie poczekał na mnie. Obiecał mi przecież, że będzie na mnie czekał, tym bardziej że nie wiadomo czy mój obecny związek przetrwa próbę czasu. Już teraz przecież kłócimy się regularnie o „skórkę od gówna", czyli o nic. Ale ja się tym nie przejmuję, bo co ma być, to będzie.

Ostatecznie jestem i piękna i młoda i bogata, więc w kandydatach do żeniaczki mogę przebierać jak w ulęgałkach. No może trochę przesadziłam z tą „bogatą", ale piękna i młoda jestem na pewno, nie uważasz, Ty obleśny grecki synu?

Ale tak czy inaczej, mam nadzieję, że zobaczymy się wszyscy na święta. Thodora i ja będziemy w każdym razie na pewno, Apostolis przyjedzie i inni też na pewno przyjadą, więc i Wy zróbcie wszystko, żeby tu być. Aris pisał z Czechosłowacji, że też będzie się starał o paszport. Nikos też obiecał, że przyjedzie, choć to na pewno nie będzie łatwe.

Jorgos, wybaczam Ci wszystkie błędy ortograficzne, które robisz w liście. Ostatecznie nie piszesz listów po grecku codziennie, prawda?

Wyślij mi Wasze zdjęcia i numery telefonów, może uda mi się do was zadzwonić, ale nie obiecuję.

No i jeszcze coś. Chyba Ci nie pisałam, że Maria Callas zmarła we wrześniu. Sam wiesz, że nie jestem taka bardzo znowu dobra w muzyce operowej, ale jednak szkoda mi jej. Najpierw zostawił ją Onassis na lodzie, a później straciła jeszcze głos. No, w każdym razie ten operowy, bo chyba normalnie mówić to jeszcze mogła. Ale może to ze smutku, że on ją zostawił. Ja to bym się wcale nie martwiła, jakby ten Arystoteles mnie zostawił, bo on jest stary i mały. I brzydki na dodatek, tyle że forsy ma jak lodu. No masz, i znowu piszę o lodzie, ale u nas już powoli wieczory całkiem zimne. Więc może dlatego.

Co innego, jakbyś Ty, Jorgos, mnie zostawił, ale Ty przecież zawsze będziesz do mnie wracał, prawda, Ty stary hulako. A ta Twoja Halusia (dziwne mają imiona te Polki) to tylko tak dla rozrywki, powiedz sam? Pewnie w 1978 to już będzie po wszystkim. Prawda?

Pozdrów wszystkich, 1000 całusków od kuzynki Marii z listopadowej Salaminy.

„Może już zresztą zapomniał, jak się pisze po grecku”

[list pisany po grecku]

NADAWCA: **kuzynka Maria, Salamina, Grecja**
ADRESAT: **Jorgos Panos, Wrocław, Polska**

Salamina, 10 stycznia 1978

Jorgos, chciałam tylko złożyć Wam życzenia szczęśliwego nowego roku. I dla Ciebie i dla całej Twojej rodziny. I nawet dla Twojego brata Markosa, który chyba nie umie pisać, bo się w ogóle nie odzywa. Może już zresztą zapomniał, jak się pisze po grecku. Z nim to nigdy nic nie wiadomo.

Jestem zdrowa, czego i Wam życzę. I mam nadzieję, że się znowu spotkamy latem.

Pewnie już wiesz, że ostatnie wybory znowu wygrał Karamanlis, ale Papandreu i jego partia Pasok depczą mu nieźle po piętach. I tak to zresztą nic nie pomoże, czy nas ugryzą z lewa czy z prawa. Bo politycy i tak zawsze najlepiej dbają sami o siebie. „Człowiek z natury jest dobry, ale ma w sobie diabła”, jak mówi nasze greckie przysłowie. A zwykli ludzie, tacy jak moi albo Twoi rodzice, zawsze dostają od wszystkich w dupę i jeszcze dziękują, jak te razy nie są takie bolesne.

Ściskam Cię Ty Zafajdany Grecki Synu Twoich Greckich Rodziców, których pozdrawiam

Maria

„Nie wiem, czy decyzja pozostania w Szwecji była słuszna"

NADAWCA: **Jolanta, Sztokholm, Szwecja**
ADRESAT: **Jorgos Panos, Wrocław, Polska**

Sztokholm, 27 marca 1978

Kochany Jorgos – Januszku!

Nie wiem, czy decyzja pozostania w Szwecji była słuszna. Tak ciężko jest mi żyć bez Ciebie. Zima nadal trzyma mocno. W Sztokholmie dziś w ciągu dnia było minus 15 stopni. Biało, wszędzie biało. Ten śnieg i mróz już bardzo mi się znużyły. Najgorsze są długie, ciemne wieczory. Czasem mam wrażenie, że żyję jak kret – w ciemności.

Wstaję, kiedy jest ciemno, pracuję przy sztucznym świetle, a kiedy wychodzę z pracy, jest już ciężki, mroźny wieczór. Po drodze robię zakupy, później pichcę sobie coś do zjedzenia. Często jest to jakieś gotowe danie albo parę smażonych jajek. Później trochę czytam, czasem patrzę na telewizję, ale niedługo.

Szwedzki język jest bardzo trudny. Nie tylko do mówienia, nawet słuchanie jego jest męczące. To tak przyjemnie mówić po polsku i myśleć po polsku. Jak to dobrze, że mówisz po polsku, chociaż przecież ze swoimi rodzicami mówisz po grecku. Sam mi mówiłeś, że Twoi rodzice właściwie całkiem przypadkiem znaleźli się w Polsce. Kiedyś nawet zastanawiałam się nad tym, jak to się stało, ale nie wiem. Musisz mi kiedyś o tym opowiedzieć, bo chcę wiedzieć o Tobie wszystko.

Czasami śnisz mi się i wtedy zaczynam dzień z uśmiechem. Jorgos – Januszku kochany, tak rzadko się widujemy.

Tyle miesięcy upłynęło już od naszego ostatniego spotkania. I tak długo muszę tęsknić za Tobą, zanim znów się zobaczymy.

Dziś po pracy poszłam do automatu, żeby zrobić parę zdjęć, o które prosiłeś. Nie jestem z nich specjalnie zadowolona, bo wyglądam na nich, jak bym była trochę przycięta, ale trudno. Tak właśnie wyglądam dzisiaj i już. Zresztą Ty to rozumiesz. Zawsze mi mówiłeś, że lubisz mnie w każdej postaci, a najbardziej, jak jestem, no wiesz, z Tobą blisko.

Kochany, będę już kończyć. Pisz do mnie częściej, tylko tak mogę jakoś przetrzymać czas, zanim znów się zobaczymy.

Twoja kochająca
Jolanta

„Jestem zdrowa i chyba grubsza”

NADAWCA: **kuzynka Anna, Ateny, Grecja**
ADRESAT: **Jorgos Panos, Wrocław, Polska**

Ateny, maj 1978

Cześć Jorgos!

Mam Ci tyle do opowiedzenia, że nie wiem, od czego zacząć. A więc po kolei: lot do Aten przebiegł bez problemów. Miałam wprawdzie sąsiada, który jeszcze w Warszawie, jak tylko zapięliśmy pasy, zaczął mi opowiadać o wszystkich katastrofach lotniczych, jakie znał. Od razu zaczął mi też wyjaśniać, które miejsca w samolocie są najlepsze i dają jakąś szansę przeżycia w razie katastrofy. Ale wcale nie siedzieliśmy na takich miejscach. Samolot był całkiem pełny, więc o przesiadce nie było mowy. Kiedy zaczęło robić się ciemno za oknami, uprzedził mnie, że lądowanie w nocy jest bardzo niebezpieczne. Gdybyśmy lecieli jeszcze pół godziny, to chyba zamordowałabym tego typa z zimną krwią.

W nagrodę za trudy podróży spotkało mnie na lotnisku w Atenach wspaniałe przyjęcie. Olbrzymia gromada ludzi okazała się być moją (więc i Twoją) rodziną. Niewiele z tego przywitania pamiętam. Płakałam jak chyba jeszcze nigdy w życiu.

Przez pierwszy tydzień byłam kompletnie nieprzytomna. Zwiedzaliśmy, jeździliśmy na wycieczki, chodziliśmy do sklepów, ale ja niewiele z tego pamiętam. Chodziłam jak we śnie. Teraz to przeszło, główka pracuje i staram się zobaczyć jak najwięcej. O tym, że Grecja jest piękna, nie będę Ci pisać. Powiem Ci tylko, że jak jedziemy gdzieś samochodem i wiem, że nie będziemy wracać tą samą drogą, to rozpacz mnie ogarnia. Po obu stronach są przepiękne widoki, a ja nie mogę jednocześnie patrzeć i w jedną, i w drugą stronę. Jednocześnie.

Morze jest tutaj przepiękne. Parę dni temu pojechaliśmy do małej miejscowości (nie pamiętam nazwy) niedaleko Aten. Zaczęłam się tam zachwycać przejrzystością i czystością wody. Na moje zachwyty nasz kuzyn zrobił co najmniej głupią minę i oznajmił nam, że w tym miejscu morze jest bardzo brudne. O żadnej kąpieli nie było mowy – powiedział – zabronione. Nie przyszło mi do głowy, że woda, przez którą widać dno, może być bardzo brudna. Przecież w Bałtyku czegoś takiego nie widziałam.

Nie wiem jeszcze, co będę dalej robić. W każdym razie moja rodzina nie wyobraża sobie, że mogłabym wyjechać. Oni boją się, że jak wyjadę, to znowu nie będziemy się mogli długo widzieć, ale mnie się zdaje, że to przesada. No, bo przecież czasy się zmieniły i teraz już nie trzeba czekać następnych dwadzieścia lat, żeby się spotkać. Nie wiem, czy przypadkiem źdźiebko nie przynudzam.

Jeszcze więc Ci tylko powiem, że Grecy, chyba nawet bardziej niż Polacy, są gościnni i bez przerwy trzeba tam coś jeść. A to u cioci, a to u kuzyna. Widziałam już chyba wszystkich z naszej rodziny i wszędzie byłam goszczona z wielką radością. I wszędzie całe stoły zastawione jedzeniem, słodyczami, winem. No i oczywiście nie obyło się bez muzyki i tańców.

Najbardziej lubię, jak wujek Kosta popije sobie troszeczkę i zaczyna grać na buzuki i śpiewać. Głos ma taki zachrypnięty, jakby codziennie palił trzy paczki extra-mocnych (które zresztą chyba naprawdę wypala, bo zawsze siedzi z papierosem), ale mimo to lubię go słuchać. Wszyscy rzucają się wtedy do tańczenia. Kosta tańczy świetnie, zwłaszcza jak chlapnie sobie przed tym parę razy. Sam wiesz, że on lubi sobie chlapnąć, a ja nie. Więc pewnie dlatego do tańczenia mnie nie ciągnie. Ale popatrzeć sobie lubię.

Na dziś kończę. Jestem zdrowa i chyba grubsza. To znaczy na pewno jestem grubsza, bo spodnie, które wzięłam ze sobą, nie dopinają się w pasie. Ale co tam, kupię sobie nowe. Ubrania, buty itepe są tutaj tak fajne, że nie wiem, co wybrać, bo jedno ładniejsze od drugiego. Szkoda tylko, że trzeba za nie płacić. I to ma być raj?

Costa radzi sobie z językiem doskonale. Ja – nieźle i powoli zaczynam nawet nadążać z czytaniem napisów w telewizji, jak leci film.

Ucałuj mamę, Tobie ściskam łapkę
Twoja kuzynka
Anna

P.S. Zwiedziliśmy tyle wspaniałych miejsc, ale to dopiero początek.

„Nie zapomnij wziąć książkę do nauki języka greckiego”

[list pisany po grecku]

NADAWCA: **matka, Wrocław, Polska**
ADRESAT: **Jorgos Panos, Wrocław, Polska**

Wrocław, 15 czerwca 1978

Mój kochany chłopcze!

List podaje przez N., który jutro jedzie do Grecji. Dzięki Bogu dostałam już Twój telegram, że dotarłeś do Aten cały i zdrowy. Teraz czekam, syneczku, na list od Ciebie, tak żebym wiedziała coś więcej, jak Ci się wiedzie w Grecji. Tyle lat czekaliśmy na to. Mama prosi Boga, żeby Ci się dobrze wiodło, syneczku.

Razem z tym listem podaję Ci przez N. papiery i dokumenty, które będą Ci potrzebne do załatwiania repatriacji. Jak wrócisz do Polski, będziesz musiał jeszcze wybrać się do Warszawy, bo nie mamy jeszcze wszystkiego. Kiedy będziesz załatwiał wizę dla Twojego brata, nie zapomnij, że to wiza na przyszły rok. To ważne. I mama prosi Cię też – nie zapomnij wziąć książkę do nauki języka greckiego.

I poproś ciotkę, żeby Ci dała swoją herbatę ziołową z tych ziół, co ona je zbiera każdej jesieni w górach. Ta herbata jest dobra na przeziębienia i katar. A tu przecież wszyscy co i raz przeziębiają się. A to Markos, a to twój ojciec, a najczęściej to chyba Twoja biedna matka, mój chłopcze. I weź też ze sobą słoik miodu z tymiankiem.

Teraz co u nas się dzieje. W pracy u Twojego brata wszystko normalnie. Jest u mnie często i to daje mi trochę radości, bo cały czas siedzę w domu, bo bez przerwy pada. Jesteśmy coraz starsi, Twój ojciec i ja, mój chłopcze, i coraz trudniej znosimy deszcze i chłód.

Kiedy tu przyjechaliśmy, byliśmy młodzi, a wtedy wszystko jest inne i łatwiej jest żyć. Zresztą nie mieliśmy wyjścia. A później urodziłeś się Ty i Twój brat w Polsce, dostaliśmy mieszkanie, a Twój ojciec pracę. A jednak nie było nam łatwo. Ani nam w Polsce, ani wujkowi w Czechosłowacji, ani reszcie rodziny w Jugosławii. Z mojej wioski wyjechało tyle ludzi, wielu z nich na pewno już nie żyje. Już wtedy nie byli tacy młodzi.

Nawet nie wiem, kiedy minęły te wszystkie lata. Teraz już tylko nadzieja repatriacji do Grecji trzyma nas przy życiu. Proszę Boga, żeby udało Ci się wszystko załatwić i żebyśmy już niedługo mogli wszyscy razem wrócić do Grecji, my i Twój brat Markos i Ty. Twoja mama trochę się martwi, mój syneczku, że Markos będzie chciał się żenić z tą dziewczyną, no wiesz którą.

To dobra kobieta, ta Krysia, ale ona jest Polką, ma swoją rodzinę tutaj we Wrocławiu i nie tęskni za Grecją. Więc jak Markos się z nią ożeni, to może już nie będzie chciał wyjeżdżać z nami do Grecji. A ja czekam, kiedy nareszcie będziemy mogli być razem pod greckim słońcem: Twoi starzy rodzice i Ty i Twój brat Markos. On też śle Ci pozdrowienia. A chora mama całuje Cię

Mama

„Pamiętasz jeszcze *ena, eksi kie epta, ekato kie erpeta?*”

NADAWCA: **Panagiotis, Wrocław, Polska**
ADRESAT: **Jorgos Panos, Wrocław, Polska**

Cześć Jorgos!

Wybacz, że piszę po polsku, ale tak mi łatwiej.

Dostałem Twój adres od Wassilisa, wiesz, tego, który był taki dobry w historii Grecji i siedział w ostatniej ławce. Piszę do Ciebie, bo Wassilis i ja chcemy zorganizować zjazd uczniów ghia ellinopula (dla dzieci greckich) szkoły przy ulicy Worcella 49 we Wrocławiu.

Na razie brakuje nam wielu adresów i nie wiadomo, czy uda się dotrzeć do wszystkich, ale spróbujemy. Byłoby dobrze spotkać się ze wszystkimi, którzy też dostawali po łapach od naszego nauczyciela języka greckiego, pana Kamilosa.

Pamiętasz jeszcze ena, eksi kie epta, ekato kie erpeta? To były czasy... Daj mi znać, co o tym myślisz i czy masz adresy naszych wspólnych greckich kolegów ze szkolnej ławy. Wielu z nich już z pewnością wyjechało do Grecji, ale myślę, że wielu jeszcze, tak jak i my, mieszka w Polsce, studiuje albo pracuje.

Ciekaw jestem, jak Ci idą studia i kiedy zamierzasz zrobić dyplom. A może jesteś wiecznym studentem i wcale Ci nie śpieszno do dorosłego życia? Znając jednak Ciebie, myślę, że jesteś – jak dawniej w szkole – prymusem i zbierasz najlepsze oceny na egzaminach. A ja sam kończę Politechnikę i niedługo będę inżynierem.

Moi rodzice są bardzo ze mnie dumni, bo jestem pierwszy w rodzinie z wyższym wykształceniem. Nie wiem tylko, czy, jeśli kiedyś wrócimy do Grecji, mój polski dyplom będzie tam ważny. Moi rodzice nigdy nie przestali mówić o powrocie do Ojczyzny, a ja, póki co, wcale o tym nie myślę. Pożyjemy, zobaczymy! Poza tym mam fajną dziewczynę, Polkę i dobrze mi z nią. A jak ona umie gotować! Jej żurek i kotlety schabowe są najlepsze na świecie. Nigdzie takich nie dostaniesz!

Serdecznie pozdrawiam Ciebie i Twoją rodzinę
Panagiotis

Mój drogi!

Poszukałam informacji w Internecie na temat liczebności Greków w Polsce. Było ich na tyle dużo, że w różnych miastach powstawały w szkołach klasy dla greckich dzieci. Językiem wykładowym był język grecki. Uczono tam takich samych przedmiotów, jakie były w „polskich" klasach, ale także historii, geografii oraz mitologii Grecji. Zamiast przedmiotu „język polski" był „język grecki". Greckie dzieci w Polsce zwykle lepiej czy gorzej mówiły po grecku. Jednak często był to język przekazany przez rodziców lub dziadków, którzy sami nie mówili poprawnie lub mówili gwarą. Pan Kamilos, jak i inni nauczyciele uczący dzieci poprawnej greki, nie mieli łatwego zadania. Z pewnością jednak było im łatwiej niż nauczycielom języka polskiego. Nauka języka polskiego rozpoczynała się bowiem dopiero w trzeciej klasie jako dodatkowy przedmiot.

Wyobrażasz sobie, ile się trzeba było natrudzić, by greckie dzieci umiały bezbłędnie mówić po polsku? Tak, żeby mogły dalej się kształcić w szkołach średnich i na wyższych uczelniach. A może właśnie nie, może już po kilku latach wspólnych zabaw na podwórku z polskimi rówieśnikami dzieciaki greckie doskonale radziły sobie z nowym językiem.

Oczywiście, mój drogi, wiem, moja perspektywa jest perspektywą człowieka dorosłego, któremu niełatwo się było nauczyć obcego języka. Tobie było pod tym względem łatwiej. Ileż musiałam się natrudzić, by zrozumieć kompletnie niezrozumiałe reguły gramatyczne, gdzie więcej było wyjątków niż reguł. Dołóż do tego codzienną mordęgę z wymawianiem dźwięków, nie istniejących w polskim języku.

I mój notoryczny strach przed robieniem błędów językowych. Śmiać mi się chce, ilekroć pomyślę o początkach.

Pamiętam, gdy jeszcze kiepsko mówiłam w nowym języku, poszłam po sąsiadkę, do której zadzwoniła jej córka. Jej mocno leciwa matka telefonu bowiem nie miała. Zapukałam, a gdy ta wyjrzała zza drzwi, powiedziałam: „Pani (tu spojrzałam na tabliczkę na drzwiach i starannie odczytałam jej wygrawerowane nazwisko) córka prosi do telefonu". Sąsiadka patrzyła na mnie mocno zdziwiona. Widocznie nie zrozumiała, o co mi chodzi, pomyślałam, więc spróbowałam jeszcze raz. „Pani (ponownie odczytałam nazwisko na tabliczce) i córka, telefon, czeka". Wspomogłam się przy tym kilkoma prostymi gestami i pewnie dzięki temu sąsiadka zrozumiała, o co mi chodzi, i poszła za mną. Przez chwilkę porozmawiała z córką przez telefon i wyszła, nawet nie dziękując. Wychodząc, spojrzała na mnie tak, jakby chciała coś powiedzieć, ale w końcu machnęła tylko ręką. Nie mogłam tego zrozumieć, ostatecznie wyświadczyłam jej grzeczność, prosząc do telefonu. Dopiero dużo później zrozumiałam, że na tabliczce na drzwiach został wygrawerowany nakaz higienicznego zachowania, a nie nazwisko sąsiadki. Powinnam się była tego domyślić, znając jej pedantyczne dbanie o czystość i fakt, że myła swoje schody przynajmniej raz w tygodniu. Na tabliczce zostały wygrawerowane słowa WYCIERAĆ OBUWIE, nawet bez słowa „proszę".

„Poznałam kilka nowych rybek”

NADAWCA: **Agata, Augustów, Polska**
ADRESAT: **Jorgos Panos, Wrocław, Polska**

Augustów, 1 września 1978

Senne już mam oczy o tej porze dnia, a właściwie już późnej nocy... i gra Stan Getz, jego cudownie ciepły dźwięk kontrabasu cudownie wszywa się w ciszę mego pokoju, a raczej kochanej kajutki. Wiesz, zaprzyjaźniłam się z maszyną do pisania tak bardzo, że prawie się z nią nie rozstaję. Lubię, lubię pisać w nocnej ciszy, gdy mogę być myślami tylko z Tobą.

Wyjechałeś, a mnie zdaje się, że to już całe lata bez Ciebie... Czas dłuży się, godziny wloką, tygodnie nie znają litości. Nadal otaczają mnie te same przedmioty, więc żeby mi się nie znudziły, przestawiam je co jakiś czas. Kawę pijam w innej filiżance, lampę stawiam raz z lewej, raz z prawej strony, a łóżka już od dwóch dni nie ścielę. Dzwoniłam dziś do Ciebie o 22.30 i co???? Nic. Gdzie jesteś, może wyjechałeś?

Wczoraj kąpałam się tam, gdzie byliśmy po raz pierwszy na pomoście, tylko z drugiej strony jeziora. Woda była cudownie przejrzysta, więc poznałam kilka nowych rybek. Dzisiaj po południu znów pojechałam nad jezioro, lecz prawie na miejscu zgasł mi silnik. Chyba coś się stało z rozrusznikiem. Niby nowy samochód ten nasz „maluch” i taka byłam szczęśliwa, kiedy go wreszcie dostaliśmy, a tu masz – awaria. Na szczęście nieopodal kąpało się trzech młodych ludzi, więc popchnęli mnie z powrotem. Inaczej chyba musiałabym nocować w lesie. Pan w Polmozbycie szybko mi coś tam zreperował; obyło się bez drażnienia papcia.

Papcio chodzi nadęty już od paru dni, bo nie może przeboleć, że wszyscy łapią ryby, tylko on nie... Siedzi całymi dniami nad wodą i wraca do domu zmartwiony. I znowu nic nie złapał. A naokoło niego inni rybacy co i raz wyciągają taaaakie ryby z wody. Pocieszam go jak umiem, ale to niewiele pomaga. Może dziś wreszcie i jemu uda się coś złapać, choćby małą płotkę.

Już niedługo, mam nadzieję, zobaczę mój kochany fejsik.

Pa Agata

„Zacznijmy więc od Wielkiej Mgławicy w Orionie”

NADAWCA: **Agata, Augustów, Polska**
ADRESAT: **Jorgos Panos, Wrocław, Polska**

Augustów, 15 września 1978

Augustów już pustoszeje, bo lato powoli zbliża się do końca. Początek września był jeszcze piękny, ale teraz powietrze już nie jest nie takie radosne. Z rana i wieczorem jest chłodno, a mgły okrywają miękką kołderką wody jezior.

Przed pójściem spać wychodzę zawsze przed dom popatrzeć na gwiazdy, bo to są ciągle te same gwiazdy, które i nas widziały. Przyglądam się uważnie gwiazdozbiorom, łatwo odnajduję wielką i małą niedźwiedzicę, a czasem udaje mi się też zobaczyć Kasjopeję. To ty nauczyłeś mnie tych gwiazd, opowiedziałeś o nich, pokazałeś, gdzie ich szukać. Teraz już wiem, że Kasjopeja ma kształt litery W, a Krzyż Południa, piękny i jasny gwiazdozbiór nieba południowego, nie jest w Polsce widoczny.

Mówiłeś, że Krzyż Południa był przewodnikiem wielu podróżników w Afryce i innych dalekich krajach i że chciałbyś kiedyś go zobaczyć na własne oczy. Może będziemy mogli go zobaczyć kiedyś jeszcze razem? Może będziesz mi też mógł pokazać inne galaktyki, bo dobrze zapamiętałam te nazwy: Wielka Mgławica w Orionie, Obłoki Magellana. Pamiętam, jak mówiłeś, że Wielka Mgławica w Orionie jest oddalona od Ziemi o tysiące lat świetlnych, ale czasem można ją zobaczyć przy bezchmurnym niebie.

Wczoraj był taki piękny dzień, a później wieczór, niebo pełne gwiazd jak na wyciągnięcie ręki. Siedziałam na podwórku i wcale nie chciałam wracać do domu. W końcu mój kochany papcio zaczął się denerwować, że tak długo wystaję sama w ciemności. Ale ja nie byłam sama. Cały czas myślałam o Tobie i o tym, że nauczyłeś mnie tylu pięknych rzeczy. Przecież do tej pory nie wiedziałam, że tyle jest gwiazdozbiorów nad nami. Niektóre są widoczne tylko latem, inne zimą. Niektóre są widoczne w Polsce, a inne gdzieś daleko, w innych krajach. Ale to, że są niewidoczne, nie oznacza przecież, że ich nie ma.

One są, istnieją, tylko nasze oczy nie mają dostatecznej mocy, by je zobaczyć.

Tak było i ze mną, kiedy Ciebie poznałam. Nagle okazało się, że widzę więcej, ostrzej, lepiej, a wszystkie znajome rzeczy nabrały barw. Przez tyle lat życia patrzyłam, a nie widziałam, jak ktoś, kto ma wadę wrodzoną i musi z nią żyć. Teraz kiedy patrzę na niebo, widzę dalekie światy na odległych galaktykach i cieszę się, że jest aż 88 gwiazdozbiorów. Chcę poznać je wszystkie. Niektóre mają takie piękne nazwy: Wielka Mgławica w Orionie, Wielka Mgławica w Andromedzie, Worek Węgla. Chciałabym umieć je odnajdować, ale wiem, że do tego potrzeba wprawy, a może i sprzętu. Zacznijmy więc od Wielkiej Mgławicy w Orionie, o której mi mówiłeś, że raz udało Ci się ją zobaczyć. Musisz mnie nauczyć, jak ona wygląda i jak mogę ją odszukać wśród tysięcy innych gwiazd.

Wracaj więc szybko do mnie i do Augustowa, bo moja edukacja nie jest jeszcze zakończona. Przecież nie możesz pozwolić, bym żyła dalej, nie potrafiąc pokazać na niebie Wielkiej Mgławicy w Orionie albo Obłoków Magellana?

Pa Agata

„Pytasz w swoim ostatnim liście, czy znam jakieś nowe przekleństwo”

[list pisany po grecku]

NADAWCA: **kuzynka Maria G., Salamina, Grecja**
ADRESAT: **Jorgos Panos, Wrocław, Polska**

Drogi Jorgos, hallo!

Że tak długo nie pisałam, to dlatego, że mam strasznie dużo pracy. No bo na przykład dziś, w niedzielę, pracuję i jutro, chociaż to dzień wolny, też.

Ale poza tym u nas wszystko normalnie. Jest już dość zimno i dziś rano padało, ale później była bardzo ładna pogoda i dużo słońca. Kiedyś mi mówiłeś, że to się rzadko zdarza w Polsce, deszcz, a później zaraz piękne słońce. A u nas w Grecji tak i to mi się podoba. Nie lubię, jak za długo pada deszcz, ale też nie lubię, jak za długo jest gorąco.

Jorgos, pytałeś mnie, czy Y. , ten który mieszkał w Pradze Czeskiej, już wrócił z rodzicami do Grecji, i mogę Ci powiedzieć, że tak. Nie mam jednak z nim kontaktu i wcale mnie to nie smuci. Tak naprawdę ten Y. jest po prostu zwykłym chujem. Jedynym jego plusem jest to, że w gruncie rzeczy jest on Grekiem, więc można o nim powiedzieć, że to grecki chuj. Zresztą co Ci mam mówić, pewnie wiesz, jaki Y. potrafi być. A może zresztą nie wiesz, jaki on jest naprawdę. I tak jest lepiej.

Ale o innych chłopakach nie mam nic do napisania, bo ich od dawna nie widziałam i nie dzwoniliśmy do siebie. Zresztą jak ja nie zadzwonię, to nikt o mnie nie pomyśli. Z chłopaków z Polski tylko Ty i Twój brat Markos jesteście na mojej liście prawdziwych przyjaciół. Chociaż muszę powiedzieć, że od czasu jak Markos zakochał się w tej Krysi – to już przepadł i w ogóle się do mnie nie odzywa.

Ale trzeba mu to wybaczyć, jak zakochanie, to zakochanie. Trudna rada.

Szkoda tylko, że to Polka, a nie Greczynka. I kto wie, może teraz Markos wcale nie będzie już chciał wrócić z Wami do Grecji? No, bo Ty i rodzice ciągle jeszcze o tym myślicie, prawda?

Byłam zadowolona, że pytasz w swoim ostatnim liście, czy znam jakieś nowe przekleństwo. Masz rację, że my, Grecy, lubimy i umiemy bardzo ładnie przeklinać. No więc tak: z rana słyszę, jak w porcie jakiś dźwig się zepsuł. I ten facet, co go obsługiwał, wyszedł z kabiny, rozłożył ręce i zaczął wrzeszczeć tak, że go było słychać na całej wyspie:

„Ja pierdolę tę Ewę, kurwę, i tego jej Adama, skurwysyna, pierworodnych grzeszników Pana Boga, który się na nas wszystkich zawziął".

No i co, podoba Ci się?

Ucałuj swoich rodziców i brata.
Maria

Mój drogi!

Jakaż to przemiła pauza, ten list pisany przez kuzynkę Marię, to „ja pierdolę tę Ewę..." Prawdę mówiąc, nie wiedziałam wielu rzeczy o Grekach, ale z pewnością nie wiedziałam, że Grecy są tak kreatywni w wymyślaniu mocnych przekleństw.

Jakież to bogactwo w porównaniu z polskimi przekleństwami. Te są ubogie i ograniczają się w zasadzie to trzech, czterech słów, które używane są zamiast przecinka. Smutny i żałosny jest ten brak kultury przeklinania w języku polskim.

„Nie wiem, jak TO nazwać: pipki, cipki"

NADAWCA: **Halusia, Wrocław, Polska**
ADRESAT: **Jorgos Panos, Ateny, Grecja**

Wrocław, 10 lipca 1979

Kochany Jorgos!

Właśnie słucham dużo greckiej muzyki w radio i to tak jakoś wzruszyło moje serce, że nie mogę się powstrzymać, aby pierwsza do Ciebie nie napisać.

Tak bardzo żałuję tego, co się stało. Nasze rozstanie wcale nie było konieczne, wiem to teraz na pewno. Czy wiesz, że najbardziej stęskniłam się za Twoim ślicznym uśmiechem? Proszę, dawaj mi go zawsze i dużo, jest taki piękny.

Przepraszam Cię za mój kiepski nastrój w dniu Twojego wyjazdu, ale to czynniki poboczne doprowadziły mnie do tego stanu. Chyba miałam depresję po tym, jak zdecydowaliśmy się rozstać. Teraz już jestem uspokojona, bo przemyślałam sobie wszystko. Przepraszam Cię jeszcze raz, że nie poświęciłam Ci tyle czasu, ile powinnam przed Twoim wyjazdem do Grecji, chociaż wiem, jak bardzo ważny jest ten wyjazd dla Ciebie i Twojej rodziny.

Ciekawa jestem, co udało Ci się załatwić, gdzie teraz jesteś i co zobaczyłeś. Zazdroszczę Ci tylu rzeczy: wspaniałych zabytków i muzeów, które być może już zwiedziłeś. Zazdroszczę tego, że możesz chodzić po ulicach Aten, zaglądać do sklepów pełnych różnych rzeczy i przebierać w nich, aż do utraty przytomności.

Kupowanie nie jest może najważniejsze, bardziej chodzi o możliwość patrzenia i o to, że wszystko jest, a nie jak u nas, że niczego nie ma. A przede wszystkim zazdroszczę Ci słońca, słońca i jeszcze raz słońca. No i oczywiście niezapomnianych wrażeń i czystej wody w morzu.

My marzniemy tutaj strasznie i przeklinamy każdy dzień, gdy wstając z rana za oknem znowu widzimy chmury. A do tego jest bardzo zimno. Szlag by to trafił takie lato. A Ty sam dobrze wiesz, jak ja uwielbiam upał. Na razie nie mam więc co myśleć o wyjeździe, nie w taką pogodę.

O uczelnianych plotkach Ci nie piszę. No, może tylko ta jedna wiadomość jest interesująca dla Ciebie. Poznałam niedawno piękną Murzynkę z Nigerii, która jest na studiach w Polsce. Na pewno Ci się spodoba, bo wiem, że lubisz takie sexy... (sam wiesz, co mam na myśli, ale nie wiem, jak TO nazwać: pipki, cipki, no bo przecież nie – przepraszam – pizdy). Ale nie szykuj się na nią, bo ona uznaje tylko czarnych mężczyzn. To sprawdzone. Powód jest taki, że czarni mężczyźni mogą więcej i lepiej, tak powiedziała. Nie wiem, nie miałam nigdy okazji przekonać się o tym.

Chcę Ci też jeszcze powiedzieć, że to, że zaraz po skończeniu bliższej znajomości ze mną udałeś się do innej dziewczyny, jest typowe dla mężczyzn. Robią to po to, aby udowodnić poprzedniej partnerce, że jest dużo kobiet, które się nimi interesują. Postąpiłeś bardzo prozaicznie, widocznie tylko na to było Cię stać. Ale trudno, pomimo wszystko zachowuję pozytywne uczucia i mniemanie o Tobie.

Całuję Cię mocno i tulę najładniej, jak potrafię. Pisz, a ja będę odpisywać na Twoje listy.

Twoja, ciągle Twoja
Halusia

„Męczą jedynie bolączki tego kraju”

NADAWCA: przyjaciel Maciej, Wrocław, Polska
ADRESAT: Jorgos Panos, Ateny, Grecja

Wrocław, 16 lipca 1979

Stary!

Długo zbierałem się do tego listu, bo zawsze tak wypada, że w czasie wakacji mam najmniej czasu dla siebie. Niestety nie mogę Ci wysłać tego adresu, co Ci obiecałem, bo go po prostu nie mogę odnaleźć. Biję się w piersi, bo narobiłem Ci tylko smaku. Wiem, że ten adres mógłby Ci się przydać w nawiązaniu kontaktów w zawodzie, tam na miejscu w Atenach, ale niestety – adres przepadł.

Myślę, że mi to wybaczysz.

Niezręcznie pisze mi się ten list, bo po pierwsze dawno już nie pisałem, a po drugie mam ostatnio masę spraw na głowie.

Oprócz codziennej roboty przeżywam najazd gości z zagranicy. Dla nich Polska to teraz prawdziwe eldorado. Raz, że teraz można łatwiej przyjechać, dwa, że wszyscy skaczą wokół gości z Zachodu, a poza tym – w dolarach – wszystko kosztuje grosze. A wódka to już najbardziej, no bo co to jest jeden dolar?

Można skrzynkami kupować, jak się ma tych parę zielonych.

Słyszałem o jednym takim bezrobotnym z Holandii, co przyjeżdżał do Polski na dziewczyny. Pokazywał im zdjęcie jakiegoś domu z katalogu i obraz Rembrandta, co niby wisiał na ścianie, i dupcie brały jak ryby wieczorową porą. I to wcale nie kurewki, tylko normalne „zdrowe” dziewczyny.

Każda wolałaby mieszkać w takim domu z Rembrandtem na ścianie, a nie czekać na swoje M-3 dwadzieścia lat, ja zresztą też. Tylko że ja to nawet nie mam szans, żeby zarwać takiego gościa z zachodu, bo nie jestem pedałem. Wolę słodkie damskie dupeczki (mogą być polskie), a nie owłosione męskie kutasy. Brr... jak sobie o nich pomyślę.

Tak więc, Stary, najpierw miałem gości ze Szwecji, a teraz z Hiszpanii. I to byli, niestety sami mężczyźni. No, bo gdyby była wśród nich jakaś znośna kobitka, to pewnie spróbowałbym do niej startować. Ostatecznie grafikiem można być też w Hiszpanii. Znajomość języka wcale nie jest do tego konieczna. A do tego ciepło, słonecznie, żonka co i raz poda jakąś sangrię albo innego hiszpańskiego jabcoka, a ja od czasu do czasu leniwie machnę jakieś zlecenie, co nam pozwoli na dostatnie życie.

Ach, rozmarzyłem się, Stary, wybacz... Zresztą to tylko takie tam mrzonki.

Nie będę Ci opowiadał wszystkiego z detalami, jak przebiegły te wizyty. Zrobiłem w każdym razie, co mogłem, bo sam wiesz, ile niespodzianek i trudności czeka w Polsce na turystę z zachodu.

Oni nie rozumieją, jak my tu żyjemy, ile się trzeba nalatać, żeby „załatwić" to, co jest niezbędne w gruncie rzeczy do życia. Mam już naprawdę dosyć tych wizyt, chociaż to wizyty moich przyjaciół, ludzi, których bardzo lubię. Męczą jedynie bolączki tego kraju, które trudno wyjaśnić obcokrajowcom. Nie mówiąc już o innych sprawach.

Myślę, że sierpień będzie spokojniejszy. W wrześniu mam zamiar jechać zarobić gdzieś „prawdziwe" pieniądze. Za sto dolarów można spokojnie teraz przeżyć parę miesięcy, niespecjalnie oszczędzając. Czekam więc na potwierdzenie wyjazdu i paszport.

Myślę o wyjeździe do znajomego bauera w Giermanii, no oczywiście tej zachodniej. Byłem już kiedyś u niego, chyba ze dwa lata temu. Warunki zapewnia niezłe, płaci byle jak, ale traktuje po ludzku, no i najeść się można do syta. Czego?

Truskawek oczywiście. Gorzej, że plecy mnie po tej robocie bolały od tego schylania się. Po powrocie do Polski nie mogłem patrzeć na to czerwone dziadostwo (uwaga: mam na myśli truskawki!) przez pół roku. Później mi minęło.

W ubiegłym roku szukałem czegoś innego do roboty za „prawdziwe" pieniądze, ale się nie udało. Później żałowałem, że nie pojechałem na truskawki. Pal sześć truskawki, ale pieniądz jest niezły i poszaleć po przyjeździe jest za co.

I dlatego chcę w tym roku znowu wyjechać i porobić za gastarbeitera. Może uda mi się dostać robotę „na zmywaku" w jakiejś knajpie. Podobno jugosłowiańskie i greckie knajpy w Niemczech nie boją się zatrudniać ludzi z Polski „na czarno". To ja się Ciebie pytam, Jorgos, jak się mówi po grecku „Czy ma pan dla mnie lekką pracę, najlepiej dobrze płatną?"

Pogoda na razie jest fatalna, we Wrocławiu zaledwie 18 stopni. Słyszę, że w Atenach jest teraz 27 stopni. Wybacz, ale bardzo Ci tego zazdroszczę. Cóż, życzę Ci nie pogody i słońca, bo to już masz, ale gładkiego przebrnięcia przez administracyjne formalności, które są głównym powodem Twojego wyjazdu do Grecji. Mam nadzieję, że pomyślnie wszystko załatwisz. Do zobaczenia po wakacjach

Maciej

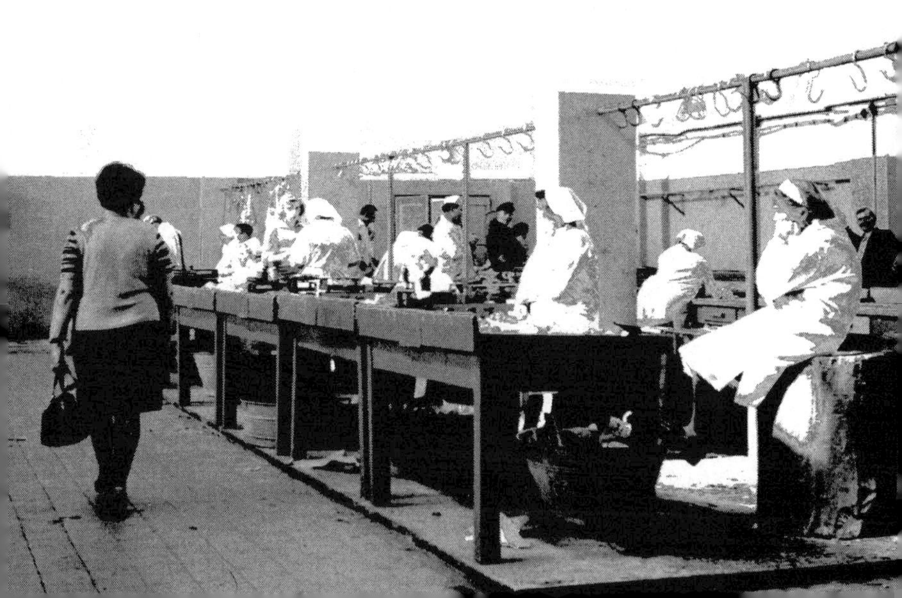

„Nie wiadomo, kto był tą świnią, ale śledztwo trwa”

NADAWCA: **Halusia, Wrocław, Polska**
ADRESAT: **Jorgos Panos, Ateny, Grecja**

Wrocław, 7 sierpnia 1979

Jorgos mój ukochany!

Piszę ten list i mam nadzieję, że już niedługo dostanę od Ciebie długo oczekiwaną odpowiedź. Twoja Halusia stęskniła się bowiem za Tobą bardzo, bardzo. Bardzo żałuję tego naszego głupiego rozstania przed Twoim wyjazdem i chciałabym też poprosić Cię o coś, czego nie możesz mi odmówić: żebyś powrócił do mnie. Musisz, musisz, Gosku, wrócić do mnie choćby niezobowiązująco, tak jak wolisz.

Oznacza to, że nie znalazłam, czego szukałam, i jestem nieprzyzwoicie przyzwoita. Prowadzę się bardzo porządnie, więc zaczynam mieć już spory niedosyt kochania się. Ale chyba rozumiesz, że mam na myśli tylko kochanie się z Tobą, z nikim innym.

Nie wiem jak Ty, Jorgosku, się prowadzisz i boję się, że jesteś mniej przyzwoity niż Twoja Halusia, bo nawet nie masz czasu, żeby odpisać. Czyżbyś prowadził rozwiązły tryb życia; jak to się mówi, wolę o tym w ogóle nie myśleć. Wolę myśleć, że wrócisz do mnie stęskniony jak ja i wszystko będzie tak jak przed Twoim wyjazdem do Grecji.

Myślę o Tobie bardzo często. Poznałam ostatnio jednego Greka, który studiuje medycynę, ale on jest rok młodszy i Ciebie nie zna. A ja zawsze myślałam, że wszyscy Grecy w Polsce znają się, i to dobrze. Jest przystojny jak Ty, ale o niebo mniej uroczy. Jednak jego uśmiech przypomina mi Ciebie, tak jak wszystko teraz kojarzy mi się z Tobą.

Teraz przekażę Ci wiadomości z Uczelni: nie wiem, czy dostanę pokój w akademiku, więc być może będę musiała dojeżdżać na wykłady. Jeśli dostanę pokój, to będzie to pokój po Bożenie, wiesz, tej z roku wyżej. Ją ostatnio ktoś okradł w Akademiku i zabrał jej wszystkie longplaye i jeszcze parę najfajniejszych ciuchów. I super biustonosz, ten na randki! Więc to musiała być jakaś koleżanka, bo nikt inny nie wiedział przecież, gdzie szukać jej najlepsze ciuchy. Bożena ma rodzinę w Stanach i stamtąd dostaje czasami super wystrzałowe ciuchy, takie, których nie ma żadna z nas. Kiedyś nawet pożyczyłam od Bożeny sukienkę, wiesz, tę srebrną z szerokim paskiem. Bo biustonosza pożyczyć mi nie chciała... A teraz nie ma ani sukienki z szerokim paskiem, ani biustonosza, ani płyt. Jakaś świnia zabrała jej to wszystko, nawet parę puszek po piwie też wzięła, taka zachłanna była. Nie wiadomo, kto był tą świnią, ale śledztwo trwa.

Nasz profesor wrócił już z wakacji, to wiem, bo spotkałam go przypadkowo na mieście.

Inne wiadomości są takie, że benzyna zdrożała o dwa złote, a olej o 12!

I to już wszystko na dzisiaj. Jestem już zmęczona, więc będę kończyć, ale całuję Cię jeszcze tylko delikatnie oraz namiętnie, na zmianę. I nie zapomnij, mój kochany, o co Cię proszę: żebyś mi nie odmówił, żebyśmy wrócili do siebie i pobyli jeszcze razem. Ja nie będę Ciebie ograniczała ani niczego żądała. Czy spróbujesz? Wróć do mnie choć na trochę. Ja pragnę Ciebie, twojej radości, uśmiechu i kochania.

Tęsknię i jeszcze raz tęsknię
Halusia

„Przyjedź, Słodki Mój Ropuchu"

Nadawca: Halusia, Wrocław, Polska
Adresat: Jorgos Panos, Ateny, Grecja

Wrocław, 14 sierpnia 1979

Jorgosku, mój najukochańszy!

Właśnie dostałam list od Ciebie i tak bardzo, bardzo się ucieszyłam. Wiesz, tak na odległość to wszystko odbiera się inaczej. Zawsze, jak przychodzisz mi na myśl (a dzieje się to dość często), to oprócz radości zawsze kręci mi się łza w oku.

Czy to właśnie jest miłość, to połączenie radości z odrobiną smutku? Tęsknię za Tobą bardzo, za Tobą całym, za przepięknym uśmiechem i jeszcze wieloma innymi rzeczami. Przywiązałam się do Ciebie mocno i wiem, że te więzy (w jakiejkolwiek postaci) będą trwały długo i mocno. Jesteś mi bardzo bliski i brak mi Ciebie. Dystans umacnia wszystkie moje uczucia. Kocham Cię jako przyjaciela, jako kochanka, jak moje dziecko. Dobrze, że jesteś, że niedługo wrócisz, że wkrótce się zobaczymy. Czekam, czekam na Ciebie, kochany, a nieustający deszcz za oknem tylko pogłębia moją tęsknotę.

Jesteś w o wiele lepszej sytuacji: podróżujesz, spotykasz nowych ludzi, widzisz nowe okolice. A wszystko to w greckim słońcu. Słyszałam, że w Grecji są teraz takie straszne upały, że aż ludzie umierają. Ach, gdybyś tak mógł przesłać mi trochę tego słońca i ciepła. Tu u nas jak nie chmury i deszcz, to tylko chmury, a czasem, na chwilę wyjrzy zza nich blade i nie dające ciepła słońce. Jest bardzo chłodno, a przecież to środek lata i wakacji.

Piszesz, że jedziesz na Kretę, ale nie podajesz mi tam adresu. Gdzie mam adresować moje listy?

Tutaj wszyscy się o Ciebie pytają, nawet mój kuzyn Edwin. Edwin dzwonił do mnie ostatnio i prosił o adres jakiegoś dobrego ginekologa. Domyślasz już się, o co chodzi: Edwin miał wpadkę z kobietą i potrzebuje pomocy. Tak to nazwał, a ja, może to nieładnie z mojej strony, zapytałam, co na to jego katolickie sumienie. Nie odpowiedział, ale chyba „aluzju poniał". Pamiętasz, jak się dopytywał, czy jesteś katolikiem i kiedy się pobierzemy? Stary hipokryta i tyle. Szkoda mi tylko tej jego dziewczyny, więc dałam mu adres spółdzielni lekarskiej, gdzie przyjmuje doktor P. Podobno jest dobry, tak mówiło wiele dziewczyn z mojego roku.

Teraz plotki uczelniane: Ceśka zerwała z P. i wyjeżdża do Paryża (jak się jej to udało, możesz się tylko domyślać), Kopaczowa jest obecnie związana z Włodkiem – tym z Twojego roku, to taki wysoki facet w okularach. Janowski się ożenił tydzień temu, ale nie znam tej kobitki. Nie dostałam zaproszenia na ślub, no i bardzo dobrze. I tak mam prawie co tydzień ceremonie zaślubin do obskoczenia. Pewnie za parę lat będę chodziła na rozwody. Rysiek obiecał napisać do Ciebie niedługo, bo ma dużo plastycznych wiadomości dla Ciebie.

Kochany Jorgosku, tulę, pieszczę, całuje i nie wiadomo co jeszcze robię, aby Cię zadowolić choćby listownie. Pisz, a jeszcze lepiej przyjedź, Słodki Mój Ropuchu, bo ja tęsknię bardzo

Twoja Halusia

P.S. Pozdrów całą Twoją grecką rodzinkę i znajomych włącznie ze wszystkimi dziewczynami. Ale uwaga: nie rozpuszczaj się za bardzo i nie gwałć, bo będę bardzo zazdrosna!

I jeszcze przywieź mi, Słodki Ropuchu, czarne oliwki z Krety, bo tych tu nigdy nie ma w sklepie.

Mój drogi!

To bolesny temat i nie wiem, czy powinnam go z Tobą omawiać. W końcu jesteś mężczyzną i pewnie nie wiesz, jak trudno jest kobietom cieszyć się odkrywaniem seksu, nie mając dostępu do środków antykoncepcyjnych. Widmo zajścia w ciążę skutecznie potrafi zatruć radość intymnego bycia razem. A przecież wtedy niewiele mówiło się na ten temat. Dla wielu kobiet stosunek przerywany był najpopularniejszym sposobem zabezpieczania się przed niechcianą ciążą. Seks oznaczał niepewność i stres. I konieczność podejmowania niełatwej decyzji w razie wpadki.

Jednak były i plusy. Bo na przykład znalezienie ginekologa gotowego do usługi wcale nie było trudne. Na każdym prawie rogu ulicy większego miasta były spółdzielnie lekarskie, gdzie ginekolodzy stanowili elitę finansową. Jak to kiedyś pewien znajomy ginekolog powiedział: „Sto piczek i jest moskwiczek". A któż nie marzył wtedy o własnym samochodzie. Choćby nawet był to moskwicz...

„Nie zapomnij, proszę, kolorowe tusze do rapitografów"

NADAWCA: **Halusia, Wrocław, Polska**
ADRESAT: **Jorgos Panos, Ateny, Grecja**

Wrocław, 4 sierpnia 1979

Jorgos, Gosku kochany!

Nie wiem, czy nadążasz w kojarzeniu poszczególnych wydarzeń i faktów, które tutaj się dzieją, a które ja skrupulatnie Ci opisuję. Jak Ci już pisałam, końca wizytom gości zagranicznych nie ma. Jestem już trochę tym zmęczona, bo dla siebie mam mało czasu.

Teraz mam na przykład na głowie przyjaciół Maćka z Hiszpanii. Na szczęście wyjeżdżają jutro do Krakowa, a ja już po raz trzeci w ciągu paru miesięcy jechać tam nie będę. Ostatecznie to Maciej ich zaprosił. Ci ludzie są bardzo sympatyczni itepe, itede, ale oni wielu rzeczy nie rozumieją i często dziwią się (choć tego nie mówią), jak my możemy żyć w tym kraju.

Jak Ci się wiedzie, kochanie? Pływasz pewnie teraz w ciepłym morzu, wylegujesz się na złotym piasku i podrywasz swoim urokiem greckie dziewczyny. Ci goście Maćka z Hiszpanii zaprosili mnie w przyszłym roku na wakacje do Hiszpanii. Kto wie, może się tam wybiorę, choć wolałabym oczywiście pojechać z Tobą do Grecji. Nie zaszkodzi mi się jednak w międzyczasie zapisać na kurs języka hiszpańskiego. Asta la Vista, kochanie. Te qui ero Najsłodszy, Magnana i muchos gracias. To się zawsze przyda!

Może naprawdę uda mi się wyjechać kiedyś do słodkiej Hiszpanii. Leżeć na pięknych plażach, kąpać się w lazurowej wodzie morza, siedzieć w eleganckich kawiarniach na molo. No i zobaczyć obrazy Salvatore Dali i Picassa. Nawet nie wiem, gdzie one się znajdują, czy w Madrycie czy w Barcelonie. A może jeszcze gdzie indziej. Na przykład w Salamance albo Granadzie, albo Sewilli. Jakie piękne są te nazwy, ile wywołują wzruszeń samym tylko dźwiękiem, obietnicą piękna, ciepła i słońca.

Gosku kochany, napisz mi szybko, kiedy przyjedziesz, tak żebym mogła godnie Cię powitać. Jak będziesz robił zakupy, nie zapomnij, proszę, kolorowe tusze do rapitografów. Pamiętaj też o orzeszkach i oliwkach dla Twojej wiecznie nienasyconej Halusi.

A może zrobisz mi jeszcze jakąś niespodziankę i przywieziesz coś, czego się w ogóle nie spodziewam? Nie myśl, kochany, że to takie dla mnie ważne, bo sam wiesz, że Ty jesteś najważniejszy, Ty i tylko Ty. Ale w Grecji jest tyle pięknych rzeczy, że jeśli kupisz dla swojej Halusi jakiś mały, malutki okruszek z tego, to i tak będzie powód do radości. Twoja Halusia ma czasem dość tej naszej codziennej brzydoty, brzydkich ulic, zapuszczonych domów, szarzyzny sklepów, w których i tak nie ma nic ładnego na sprzedaż.

Dziś czekając na przystanku autobusowym przyjrzałam się dokładnie wystawie jakiegoś sklepu z ubraniami. Okno wystawowe było brudne, tak bardzo, że niewiele przez nie było widać. Ale gdyby ktoś się uparł, to zobaczyłby za szybą dwa brzydkie fartuchy robocze w kolorze sraczkowatym wiszące na grubych sznurkach. I to ma być wystawa zachęcająca do kupna! Już nie mówiąc o tym, że kto chciałby kupić sobie fartuchy robocze w kolorze sraczkowatym. Tak jakby nie było ciemnego brązu, butelkowej zieleni, pruskiego granatu.

Nie ma teraz ładnych wystaw sklepowych, bo i w sklepach nie ma żadnych ładnych rzeczy. Dobrze, że umiem sobie to i owo uszyć i zawsze, mój kochany, będę się starać wyglądać dla Ciebie najpiękniej. Ostatnio uszyłam sobie spódniczkę z szerokich kolorowych pasów, pistacjowych, żółtych i brązowych. Jest śliczna i wiruje przy każdym kroku. Będziesz zachwycony, Gosku, jak zobaczysz swoją Halusię w białej bluzeczce z bufiastymi rękawkami i tej spódniczce, jestem tego pewna. Więc są jeszcze ładne rzeczy w całej tej otaczającej nas brzydocie i szarzyźnie, tylko trzeba się mocno natrudzić, by je zdobyć.

No i jeszcze mam książki i albumy, bo one dają mi też wiele radości. Kiedy wracam czasem trochę przygnębiona albo zmęczona do domu, sięgam po jeden z tych pięknie wydanych albumów z malarstwem albo porcelaną. Najbardziej lubię ten album od Ciebie, z malarstwem holenderskim z siedemnastego wieku. Może dlatego, że lubię jeść, a tam jest pełno obrazów przedstawiających jedzenie.

Ach, jak ja kocham te stoły pięknie nakryte obrusami, wypolerowane srebrne kielichy i dzbany, bochny chleba, barwne owoce. Nawet ostrygi (których nigdy nie jadłam), śledzie i sery wyglądają na nich przepięknie. Bo to jest właśnie siła sztuki, że wszystko zachęca do podziwiania. Nie lubię tylko obrazów z drobiem, ze smutno zwisającymi głowami w dół. Ale sam wiesz, że nie lubię mięsa kurzego i nic, ale to nic nie zmusi mnie do zjedzenia nóżki koguciej albo rosołu.

Rozpisałam się tak o jedzeniu, ale to dlatego, że jestem głodna. Idę zaraz zrobić sobie kanapkę z serem myśliwskim, który bardzo lubię. Albo nie, lepiej z serem Gouda, jak już jesteśmy przy jedzeniu z Holandii. Wiem oczywiście, że to tylko nazwa, a ser pewnie został wyprodukowany w spółdzielni mleczarskiej w Pcimiu Dolnym, a nie w Goudzie, ale pozwólmy sobie na malutki momencik zapomnienia. Do tego dzban przedniego grogu albo piwa...

No, nie martw się, Gosku, że Twoja Halusia zwariowała z przemęczenia i bredzi. Tak tylko powiedziało mi się o tym grogu. Nawet nie wiem, co oni tam w Holandii piją do kanapek z serem. Zrobię sobie po prostu herbatę w moim ulubionym kubeczku w biedronką.

Aha, mam jeszcze ważną wiadomość. Te adresy, o których mówił Maciek, to adresy dwóch greckich grafików, jego znajomych, z którymi mógłbyś się skontaktować. Ale niestety te adresy gdzieś się zapodziały i Maciek nie może ich znaleźć. Nie wiem, co o tym myśleć... Może w międzyczasie sam poznałeś jakichś ludzi z naszego biznesu...

Kończę i całuję Cię tak, jak tego nie lubisz: mocno, mocno i w każdą część Twojego ciała. Pamiętaj, że codziennie jesteś w myślach Twojej Halusi.

„Nie chciała ryzykować, że go nie złapię"

[list pisany po grecku]

NADAWCA: kuzynka Maria G., Salamina, Grecja
ADRESAT: Jorgos Panos, Wrocław, Polska

Salamina, 17 stycznia 1980

Hallo!

Wczoraj dostałam list od Ciebie. Dziękuję Ci, że o mnie nie zapomniałeś. Jorgos, muszę Ci powiedzieć, że ucieszyłam się z Twoich wiadomości. Że Markos się ożenił z Krysią, mam na myśli. Życzę im wszystkiego najlepszego na nowej drodze życia i życzę im też, żeby zawsze byli szczęśliwi i żeby się szczęśliwie rozmnożyli. Koniecznie wielodzietnie.

Mniej ucieszyłam się, że Ty i ta Twoja Halusia znowu jesteście razem. Już myślałam, że na dobre zniknęła z Twojego życia, a tu masz. Przecież obiecałeś mi, Ty obleśny synu greckich emigrantów, że to ja będę Twoją wybranką? Że kiedyś pobierzemy się w maleńkim greckim kościółku, a nasi rodzice będą płakać ze szczęścia w trakcie uroczystości. Już nawet myślałam, żeby zacząć się powoli rozglądać za piękną suknią na nasz ślub. I zacząć zbierać pieniądze, bo to w sumie spory wydatek. Chyba będę musiała tę Halusię przepędzić jakimś ostrym przedmiotem z Twojego życia. A tak poważnie to jednak byłam trochę rozczarowana, że znowu do niej wróciłeś. I z tego rozczarowania kupiłam sobie nowe buty i torebkę z mięciutkiej skóry. Co tam, raz się żyje, no, a poza tym na razie oszczędzać nie muszę. A później zobaczymy. Może zresztą Wasz związek i tak się rozpadnie. Czego Tobie nie życzę, a sobie – tak.

Piszesz, że w Polsce jest zima stulecia i że wszystko jest zasypane śniegiem. No to przynajmniej nie trzeba iść do pracy, ani na uczelnię i to jest w porządku. Gorzej, że w mieszkaniach też jest zimno. Pewnie nie wychodzicie w ogóle spod kołdry, a Ty to już na pewno. I z pewnością nie leżysz pod tą kołdrą sam, jak Cię znam, Ty chutliwy zdrajco.

Pewnie Twoja biedna mama też nie jest zadowolona z takiego mrozu, ona tak często tam choruje. U nas w Grecji też jest zimno, ale gdzie tam porównywać nasze zimno w mrozem w Polsce, jak tam jest minus dwadzieścia stopni... Nie mogę sobie tego wyobrazić... br...

Pewnie już też słyszałeś wieści z Grecji, co? Że Thodora wyszła za mąż. Na ślub byliśmy wszyscy zaproszeni do tej restauracji, gdzie Thodora zawsze śpiewa, pewnie wiesz której... Zabawa była świetna, a Thodora wyglądała wspaniale. W Grecji jest taki zwyczaj, pewnie wiesz, że się rzuca bukiet ślubny i ta, która go złapie, wyjdzie pierwsza za mąż. Ale Thodora nie chciała ryzykować, że go nie złapię, i mi go wcisnęła do ręki.

Thodora też się ucieszyła, jak jej powiedziałam o ślubie Twojego brata z Krysią. Trochę szkoda, że to Polka, ale trudno, miłość nie wybiera. A poza tym lubię tę Krysię, chociaż widziałam ją tylko raz.

Wysyłam Wam te czasopisma, co mnie o nie prosiłeś. Przepraszam, że Ci nie wysłałam kartki na Boże Narodzenie, ale dużo pracuję. Z rana zaczynam o siódmej i pracuję do wpół do dziesiątej i często-gęsto w niedzielę. No to pomyśl sam, że to nie bajka. Ale zbieram na posag, więc jak przyjedziesz prosić o moją rękę, będzie jak znalazł.

Jednak co Greczynka, to Greczynka. Wystarczy, że Twój brat ożenił się z Polką. Ale to Ty już nie możesz, bo też będziesz stracony dla Kraju. Musisz okazać się prawdziwym patriotą, Ty Obleśny Skurczybyku!

Teraz u nas jest okropna pogoda, zimno, zimno. Że też ta zima tak długo musi trwać.

Mam dla Ciebie nowe przekleństwo:
„Ja pierdolę cały ten tramwaj ze świętymi i Jezusem jako motorniczym".

No co, podoba Ci się?

Pozdrowienia dla wszystkich
Maria

„Pojedzie na festiwal Eurowizji i będzie reprezentować Grecję”

[list pisany po grecku]

NADAWCA: **kuzynka Maria G., Salamina, Grecja**
ADRESAT: **Jorgos Panos, Wrocław, Polska**

Salamina, 10 marca 1980

Hallo!

Przepraszam, że tak długo nie pisałam, ale piszę za to teraz. U nas było obrzydliwie zimno, ale na szczęście już jest cieplej.

Jorgos, Thodora wcale się nie zmieniła od czasu, jak wyszła za mąż. Ona jest dokładnie taka sama jak była, tylko wyładniała i jest spokojniejsza. Ale dziś wszystko się zdecyduje. No wiesz, kto pojedzie na festiwal Eurowizji. Thodora jest jedną z dwunastu wykonawców, ale tylko jedna piosenka może wygrać. Ta pojedzie na festiwal Eurowizji i będzie reprezentować Grecję. Rozumiesz, że cała rodzina będzie siedzieć przed telewizorem i trzymać kciuki aż do białości.

Ale poza tym nic ciekawego. Myślę o tym, żeby przyjechać latem do Polski.

Napisz mi, jakie masz plany, Jorgosku, Ty obleśny synu XXXXX i XXXXX, wiesz jeszcze, że obiecałeś mi przysłać zdjęcia ze ślubu Twojego brata z Krysią. No i co. I nic.

Ale mam też prośbę, żebyś mi przysłał swoją najładniejszą fotografię i żebyś na odwrocie napisał „dla mojej słodkiej dziewczyny”. I podpisz się „Jorgos z niecierpliwością oczekujący lata, kiedy to wrócimy do siebie na dobre”.

Wiesz jeszcze, kiedy to było? Prawie dwa lata temu, latem 1978. Posłuchaj, gnoju, jeśli nie zrobisz tego dla mnie, to już nigdy nie będę z Tobą rozmawiać. Ale ponieważ wiem, że mnie kochasz i że zrobisz to dla mnie, już Ci za to z góry dziękuję.

Wiem, że się teraz uśmiechasz, ale ja też się śmieję.

Jorgosku, napisz mi, co poza tym się u Ciebie dzieje. Koresponduję tylko z Tobą i tylko od Ciebie mogę się dowiedzieć czegoś ciekawego.

Całuję Cię i tak dalej
Kuzynka Maria

Mój drogi!

Sprawdzam w Wikipedii, kto reprezentował Grecję na festiwalu Eurowizji w 1980. Nie, nie Thodora. Jakież to musiało być rozczarowanie przede wszystkim dla niej samej, ale także dla całej rodziny. Zaczęło się tak wspaniale, wyobraźmy to sobie...

Cała rodzina zebrała się pewnie u rodziców Thodory, by ją dopingować. Przyszli też sąsiedzi. Wszyscy czekają niecierpliwie na jej występ. Występy innych kandydatów komentowane są głośno i nieprzychylnie. Piosenki nie podobają się, a ich wykonawcy śpiewają fałszywie albo gubią rytm. Na dodatek wyglądają koszmarnie: są za grubi albo za chudzi, ordynarnie albo sztywno ubrani, udają wesołych albo śpiewają jak w kościele na mszy paschalnej. Nikt nie rozumie, dlaczego od razu nie wybrano Thodory do reprezentowania Grecji na festiwalu. Przecież to oczywiste, że nie ma sobie równych.

W pokoju robi się coraz goręcej. Dym papierosowy nie pozwala oddychać, bo wszyscy mężczyźni (i dwie stare babki) palą. Mężczyźni papierosy, a dwie stare babki – cygara. Matka i ciotki Thodory naszykowały masę jedzenia, które rozłożyły w kolorowych misach. Jest marynowana papryka, oberżyny z czosnkiem, okrągłe kotleciki z cielęciny, kawałki pieczonego królika, bycze jądra w pomidorowym sosie i dużo różnych oliwek. W przerwach między piosenkami kobiety zachęcają do jedzenia, ale tylko czasem ktoś sięga do miseczki z oliwkami. Oczekiwanie na występ Thodory hamuje apetyt. Wreszcie jest. Wchodzi lekko, uśmiecha się subtelnie i skłania się przed publicznością.

Pomruk zadowolenia i radości wypełnia pokój. Rodzice Thodory zastygają w pozach uwielbienia przed telewizorem. Oooch i aaach wypełniają zadymiony pokój. Jaka ona piękna! Ciemnoczerwona suknia z długim trenem wspaniale podkreśla jej figurę i włosy, jak naturalne, blond w odcieniu miodu. Ojciec Thodory składa ręce jak do modlitwy „Śpiewaj córuniu..." – mamrocze, ale szybko uciszają go sykania pozostałych obecnych. Ćśśś.

Dwie stare babki przechylają się niebezpiecznie na krzesłach, tak by lepiej słyszeć Thodorę. Jak ona śpiewa... jak śpiewa. A ta jej piosenka toż to nie zwykła melodia, ale hymn radości. Ten kompozytor miał wielkie szczęście, że taką dostał wykonawczynię. Cud, prawdziwy cud, że tak wszystko dobrze się zgrało.

Kiedy Thodora kłania się po skończeniu piosenki, wszyscy obecni owacyjnie biją brawo. Wygra, oczywiście, że wygra. Cóż za prezencja, a jakie wykonanie. „Jak anioł, jak anioł tak śpiewała", babka Thodory nie może wykrztusić słowa więcej. Ta druga dodaje „Ani jednej nutki fałszywie nie zaśpiewała". Matka Thodory płacze ze szczęścia, a ojciec rozgląda się dumnie po pokoju. „Moja krew, moja krew, psia mać". Wszyscy obecni piją po kieliszku samogonu za pomyślność Thodory. Teraz dopiero daje o sobie znać głód.

Misy z potrawami przechodzą z rąk do rąk. Talerze są obficie wypełniane, pieczony królik smakuje najlepiej. Tuż przed ogłoszeniem decyzji jury nie ma już ani kawałka królika. A i bycze jądra w pomidorowym sosie są na wykończeniu.

„Myślę o tym, żeby przyjechać latem do Was, do Polski”

[list pisany po grecku]

NADAWCA: **kuzynka Maria G., Salamina, Grecja**
ADRESAT: **Jorgos Panos, Wrocław, Polska**

Salamina, kwiecień 1980

Przepraszam, że tak długo nie pisałam i to bez powodu. A właściwie to było inaczej. Jak od Ciebie dostałam Twój list, to od razu usiadłam i odpisałam, ale nie wysłałam swojego listu, bo zapomniałam. Więc później napisałam jeszcze jeden list, ale i tego też nie wysłałam. I teraz już wiesz, dlaczego Ci nie odpisuję na Twoje listy. Ale się poprawię, obiecuję, Jorgos, stary hulako.

A teraz co u nas nowego: wszyscy byliśmy chorzy na grypę, ale już jesteśmy zdrowi. W ostatnią sobotę byliśmy z naszą paczką, to znaczy Thodora, ja, no i cała reszta w tej restauracji, gdzie byliśmy ostatnim razem jak Apostolis szedł do woja.

Najpierw to nawet było wesoło, ale później Apostolis wypił za dużo i spaprał nam zabawę. On się bał, że jak będzie w woju, to będzie musiał pałować albo co gorsza, strzelać do ludzi w razie rozruchów. Więc wcale nie chciał tańczyć, tylko siedział w kącie i cały czas powtarzał: „A co jak to będzie mój krewniak albo sąsiad? Nie jestem takim skurwysynem, co by krewniaka albo sąsiada pałował, mogą mi naskoczyć”. I nawet chciał się bić z jednym gościem, który powiedział, że taki żołnierz to gówno nie żołnierz, bo żołnierz musi słuchać swoich przełożonych. I czy do swoich czy nie, jak każą, to trzeba strzelać.

A Apostolis do obcych to nawet mógłby strzelać, tak powiedział, ale do swoich, nie! I o to się chcieli pobić, mówię Ci. Aż w końcu Thodora zawiozła go taksówką do domu. No i w sobotę byliśmy w tej samej restauracji i cały czas gadaliśmy o Was i o żeniaczce Twojego brata. Jednak trochę szkoda, że ożenił się z Krysią, bo teraz będzie pewnie rzadziej przyjeżdżać do nas, do Grecji w odwiedziny. Myślę o tym, żeby przyjechać latem do Was, do Polski. Napisz mi koniecznie, kiedy byłoby najlepiej dla Ciebie, jakbym przyjechała, dobrze?

Jorgos, pytasz mnie, żeby Ci opowiedzieć, co się dzieje z innymi chłopakami z naszej paczki, ale właściwie nie mam żadnych nowych wiadomości. Lepiej napisz mi, z kim Ty masz kontakt. Może jak ja przyjadę do Polski latem, to i inni też się do Was wybiorą? Mam na myśli chłopaków z Grecji, ale też z innych krajów wschodnioeuropejskich. Byłoby świetnie, jakbyśmy znowu się spotkali całą paczką, tak jak dawniej. Ale myślę, że nic z tego nie będzie, bo każdy ma swoje sprawy. No i nie każdemu się chce załatwiać wyjazd do Polski. Zresztą niektórzy to boją się jechać do Polski. Nigdy nie wiadomo, co człowiekowi może się tam przydarzyć, tak mówią. Ale ja to się nie boję, bo nie ma czego. Zresztą już byłam u Was, to wiem, że białych niedźwiedzi na ulicach nie ma, a ludzie nie latają z nożami w zębach.

W sumie, Jorgos, to naszej paczki już właściwie nie ma, bo wszyscy powoli się żenią albo wyjeżdżają i coraz mniej mają czasu na spotkania. Ale ja też tak naprawdę nie mam na nic czasu, bo tylko pracuję i pracuję...

Teraz jak piszę ten list, jest u nas ciotka, i ona i moja mama kazały mi Ciebie i wszystkich pozdrowić. No to, Jorgos, masz te pozdrowienia od całej rodzinki.

I też jeszcze muszę Ci powiedzieć, że ta piosenka Thodory nie wygrała, więc Thodora nie pojedzie na Festiwal Eurowizji.

Często myślę o Tobie, Jorgos. Twoja Maria

„Najlepsze nie przychodzi samo”

NADAWCA: **Halusia, Wrocław, Polska**
ADRESAT: **Jorgos Panos, Wrocław, Polska**

Wrocław, 3 kwietnia 1980

Mój zawsze uśmiechnięty, kochany Jorgosku-Kokosku!

Zaczynam mój list od cytatu Tagore, mojego ulubionego pisarza hinduskiego. Jego słowa dobrze oddają mój stan ducha.

„Najlepsze nie przychodzi samo
Przychodzi ze wszystkim”
Rabindranath Tagore

Jest ranek i jestem taka pełna Ciebie i naszej miłości. Czasami przychodzi do mnie ochota, aby powiedzieć Ci dużo, dużo słów, ale niestety żadne słowa nie oddadzą tego, co czuję do Ciebie. Najlepiej potrafię to okazać bez słów, wtedy kiedy jesteś obok mnie blisko. Nie ma Cię jednak w tym momencie koło mnie, więc nie pozostaje mi nic innego, jak pisać, pisać, pisać.

Mężczyzno mój, każdego dnia jesteś inny, ciekawszy i bardziej interesujący. Masz tyle inwencji, jesteś nią przepełniony, ale czasem ukrywasz ją przede mną i pewnie przed samym sobą. Wyrzuć ją z siebie! Tyle pięknych rzeczy możesz stworzyć, tyle pięknych form czeka na Twoje ręce. Cenię Ciebie za wszystko to, co masz w sobie. Cenię Cię również za to, że dajesz mi prawie wszystko, co moje ciało i dusza potrzebują. Tęsknię do Ciebie zawsze: rano, kiedy się budzę i czuję tylko puste miejsce obok siebie, potem mogę przynajmniej

Cię widzieć i cieszę swój wzrok Twoją postacią, kiedy chodzisz wokół mnie, a ja już tęsknię do Ciebie całego. Później po południu, kiedy przy odrobinie szczęścia możemy się dotykać, tak niby niechcący wśród obcych ludzi, każdy Twój czuły gest i spojrzenie chłodzi moje rozpalone zmysły.

Dopiero wieczór przynosi ulgę. Moje czekanie zostaje nagrodzone. Twoje ciepłe, milutkie ciało koło mnie, we mnie, jesteś wszędzie, czuję Cię wszędzie. Jak krótko trwają wspólne chwile. Wiem, że po najpiękniejszych momentach, jakie natura mogła dać dwojgu ludziom, przychodzi chwila, kiedy stanowczo decydujesz się na wyjście. Wiem, że musisz, a jednak za każdym razem boję się tego. Nie lubię rozstań z Tobą, są takie bolesne. Nigdy nie przyzwyczaję się do rozłąki.

Tęsknię za Tobą, gdy gaszę światło i zamiast Ciebie mam poduszkę i zimną pościel, którą muszę się zadowolić. Przytulam się do poduszki, wdycham Twój zapach, który ulotni się całkiem, nim minie noc. I znów czekam na Ciebie, Ciebie całego.

Mój kochany, przytul mnie w swoich myślach i pamiętaj, że kocham Cię takiego właśnie, jakim jesteś, nie innego. Kocham Cię pod każdym względem.

Pamiętaj, że nigdy nie będę Ci żałowała ciepłych słów i ciepła mojego ciała, które jest i pozostanie Twoje.

Halszka – Halusia

„Nie spełnią się moje marzenia”

NADAWCA: **Basiunia, Warszawa, Polska**
ADRESAT: **Jorgos Panos, Wrocław, Polska**

Warszawa, 6 kwietnia 1980

Kochany mój Jorgos!

Ślicznie dziękuję za słodki liścik. Był tak kochany, że czytając uśmiechałam się sama do siebie czując jakby Twoją obecność. Smutno jest mi bez Ciebie. Na szczęście dzwonisz dość często, a to mnie zawsze uszczęśliwia. Nie tak jak Twoja obecność oczywiście...

Kiedy jesteśmy razem, jestem najszczęśliwsza na świecie. Mimo wszystkich przeszkód cieszę się, że Cię kocham i że mogę Ci o tym powiedzieć. Chcę Ci jednak o czymś napisać. O czymś, co jest dla mnie ważne. Zaryzykuję, jestem, jaka jestem, i nie chcę udawać. Nie krępuję się mojego uczucia do ciebie. Jest zbyt piękne i prawdziwe, żeby je ukrywać. Chcę je Tobie dać i daję je Tobie, daję Tobie całą moją miłość. Ale muszę Ci coś powiedzieć.

Nawet nie wiesz, jak jest mi ciężko. Tak bardzo zawsze chciałam wyjść za mąż z miłości. Do niedawna myślałam, że to szczęście będzie mi dane, ale tak się złożyło, że poznałam Ciebie. Trudno, nie spełnią się moje marzenia. Pamiętaj, kochany, że mimo okoliczności, w jakich się spotkaliśmy, zawsze będę Twoja. Przyjdź do mnie, przyjdź, gdy będziesz mnie potrzebował, a jeżeli tylko będziesz chciał, to także po miłość, którą daję Tobie na zawsze.

Twoja Basiunia

„To nie jest ten jedyny, za którego powinnam wyjść”

NADAWCA: **Basiunia, Warszawa, Polska**
ADRESAT: **Jorgos Panos, Wrocław, Polska**

Warszawa, 20 kwietnia 1980

Kochany, kochany mój Jorgos!

Jeszcze wczoraj byliśmy razem, a teraz siedzę daleko od Ciebie i jestem bardzo, bardzo smutna. Jak się bawiłeś? Mam nadzieję, że wypiłeś za mnie choć malutki kieliszek. Jest prawie południe, a ja siedzę już przy winku i piszę do Ciebie.

Nie byłam jeszcze w domu, nie nocowałam tam. Dlaczego? Chciałam być po prostu sama, nikogo nie słyszeć, nie widzieć. Udało mi się to. Spałam sama w pracowni Jurka. Oddał mi ją na jedną noc, bo widział, że ze mną coś jest nie tak. O nic nie pytał, zresztą on nie pyta, jak widzi, że ludzie mają problemy.

Dlaczego Ciebie tu nie ma? Myślałam, że może w nocy przyfruniesz tu jakoś...

Byłam taka szczęśliwa przez te dwa dni. To było jak sen, jak bajka. Dałeś mi tyle radości, czułam się jedyna, najważniejsza, wspaniała. Jeszcze nikt nigdy nie dał mi tego tak odczuć. To były cudowne dni oderwania się od wszystkiego, zapomnienia.

Zbliża się maj, a ja zamiast coraz bardziej cieszyć się życiem, coraz częściej płaczę. Przy Tobie zrozumiałam, że mój chłopak to nie jest ten jedyny, za którego powinnam wyjść. Ale teraz już jest za późno, sprawy zaszły za daleko.

Nie mogę teraz wszystkiego odkręcić, zabrnęłam za daleko. Trudno, w życiu trzeba ryzykować. To nieważne zresztą. Jest mi w tej chwili tak dokładnie wszystko jedno, że nie chce mi się żyć. Boże, jaka ja byłam pewna swoich uczuć, jak bardzo chciałam go mieć za męża. I gdy moje pragnienia się spełniły – spotkałam Ciebie. Teraz już wiem, że nie można być pewnym niczego, nawet samego siebie. Czy to nie straszne? I czy to nie straszne myśleć, tak jak ja, tuż przed ślubem, że kocham innego. To wszystko doprowadza mnie do szału. Nawet nie wiem, komu o tym powiedzieć, wygadać się...

Ten list zaczyna być bez ładu i składu, ale takie właśnie są moje myśli w tej chwili. Dużo, dużo pesymistycznych myśli. Przepraszam, że ten list jest taki, jaki jest, ale chce mi się w tej chwili bardzo, bardzo płakać. Tak mi Ciebie brakuje. I tak bardzo chciałabym móc się teraz do Ciebie przytulić, porozmawiać.

Spotkanie z Tobą dało mi bardzo dużo, więcej, niż myślałam. Oderwanie się od kłopotów, których mam sporo, no i cudowny relaks. Boję się, Jorgosiku, że Ty tak jak większość zmienisz się niedługo. Wiem, że czasami warunki zmuszają nas do tego, ale w miarę możliwości pozostań, pozostań sobą. Zachowaj w sobie to wszystko, co jest w Tobie takie niezepsute. Jesteś taki wspaniały i chciałabym, żebyś się nigdy nie zmienił. Pozostań, proszę, sobą, zachowaj w sobie to wszystko, co masz teraz: wesołość, fajny humor i uczciwość.

Z biegiem wieku tak trudno trafić na uczciwych ludzi, ludzi na luzie, nie wyrafinowanych.

Kochany, kiedy znów przyjedziesz, chciałabym pójść z Tobą potańczyć. Przyjedź, przyjedź jak najszybciej, ale najlepiej przed 1 czerwca. Później może już być troszeczkę, ale tylko troszeczkę inaczej. A może mnie uda się zajrzeć do Ciebie, nie wiem. Jak na ironię słucham teraz piosenki „I just wanna be with you, well it's truth"...

Dziś w Warszawie taka piękna pogoda i tak chciałabym być teraz z Tobą. Boję się, że później będzie nam się coraz trudniej spotykać. A przecież tyle mamy jeszcze do omówienia, tyle spraw do opicia. Te dwa dni razem były takie krótkie, jak sen... Bardzo bym chciała, żebyśmy mogli razem słuchać piosenek Dylana i Cohena. Oni tak prawdziwie śpiewają o miłości, o życiu. Płakać mi się chce, gdy pomyślę o tym, że nigdy nie zdążymy nagadać się, nasłuchać muzyki razem, nakochać.

Dwa dni, dwa dni bez perspektyw na dalsze spotkania. Dwa cudowne, przepiękne dni, które wstrząsnęły światem, moim światem. Nie zapomnę ich nigdy, do końca mojego życia. Nie wiem, kiedy się znów spotkamy, ale dziękuję Ci, kochany, za to, co mi dałeś: radość i miłość. Całuję Cię mocno, mocno i cieplutko

Twoja Basiunia, która daje Ci swoją miłość na zawsze

Mój drogi!

Jakim niezwykłym człowiekiem musiał być Jorgos, skoro zawsze otaczał go wianuszek zakochanych w nim kobiet. To, co mnie najbardziej zdumiewa w listach do niego, to to, że każda z tych kobiet rozkwita w związku z nim. Niewielu jest mężczyzn, którzy potrafią dać kobiecie takie poczucie. To wielki dar – umiejętność kochania kobiet, dawania im odczuć, że są najważniejsze, jedyne, wspaniałe. Choćby nawet miało to trwać krótko.

To właśnie, myślę, odróżnia ordynarnego don Juana od prawdziwie zakochanego Jorgosa. Bo on za każdym razem zakochuje się na nowo. Choćby nawet to zakochanie okazało się nietrwałe w czasie, on kocha naprawdę. Kobiety, każda z osobna i wszystkie razem, zachwycają go i rozczulają. Jest ich wielkim wielbicielem i znawcą. Bycie z takim mężczyzną to dla kobiety wielka radość i szczęście. Pamiętam mój związek z podobnym do Jorgosa człowiekiem. Dawał mi poczucie bycia wyjątkową, wspaniałą kobietą. Ciągle jeszcze wspominam go z wielkim sentymentem, ciepło. Rozstaliśmy się, kiedy zakochał się w innej dziewczynie. Ale i to zakochanie nie trwało długo, choć było jak najbardziej prawdziwe. A później kolejne i kolejne. Ale dosyć tych wspominków, wracajmy do Jorgosa.

„Jestem jak zaśniedziała moneta, której ktoś przywrócił blask"

NADAWCA: **Jolanta, Sztokholm, Szwecja**
ADRESAT: **Jorgos Panos, Wrocław, Polska**

Sztokholm, 28 kwietnia 1980

Kochany Jorgos – Januszku!

Piszę krótko, żeby Cię uprzedzić, że nasza korespondencja może być przerwana na skutek ogromnego strajku, który szykuje się w Szwecji. Kapitaliści nie chcą podnieść naszych zarobków, związki zawodowe proponują 10-11% i konflikt staje się coraz większy. Jeśli do północy dziś się nie dogadają, to od jutra nie będzie komunikacji, radia i transportu, a od 2 maja nikt nie będzie mógł pójść do pracy. Będzie chaos w całym kraju. Mam nadzieję, że obie strony dojdą do porozumienia, bo mnie to bardzo niepokoi.

Kochany mój, tak za Tobą tęsknię. Trudno mi nawet na chwilę oderwać się od myśli o Tobie i chociaż jestem tutaj, moja dusza i serce zostało w Polsce. Nasze wspólnie spędzone dni stanowią dla mnie najszczęśliwsze chwile. Dzięki Tobie powróciła radość, a moje życie, pełne porażek, odmieniło się na dobre. Już nie jestem szarą myszką, od kiedy poznałam Ciebie.

Jestem jak zaśniedziała moneta, której ktoś przywrócił blask. Dziękuję Ci za to – kochany. Jesteś taki niezwykły, szlachetny, ambitny i czuły. I mam nadzieję, że taki pozostaniesz na zawsze. Wysyłam Ci kilka zdjęć z naszych wspólnych dni. Gdy patrzę na nie, zapominam o wszystkim – znów jestem z Tobą.

Jolanta

„Zostały ogrody i plantacje”

NADAWCA: **Jolanta, Sztokholm, Szwecja**
ADRESAT: **Jorgos Panos, Wrocław, Polska**

Sztokholm, 12 maja 1980

Drogi Jorgos – Janusz!

Zacznę od najistotniejszej rzeczy, to jest pracy. Jest trudniej znaleźć pracę, niż przypuszczałam, ale nie rezygnuję. Wręcz przeciwnie, to mnie jeszcze bardziej zmobilizowało do działania na wszystkich frontach.

Sytuacja na rynku pracy w Szwecji jest nie najlepsza. Na niewiele oferowanych miejsc zgłasza się mnóstwo chętnych. Rozmawiałam już z moim szefem personalnym. Gdybyś zjawił się tutaj na początku maja i osobiście spotkał z nim, być może mógłbyś dostać umowę o pracę.

Mój szef nie chce podpisywać umowy o pracę, nie znając Ciebie. Wiem, że to odpada, bo musisz w tym czasie zdawać egzaminy na uczelni. Codziennie przeglądam gazety, ale do tej pory nie znalazłam nic odpowiedniego. Lepsze prace wymagają praktyki w zawodzie, kwalifikacji, znajomości języka.

Dzwoniłam też do różnych przedsiębiorstw, o których myślałam, że może będą potrzebować pracowników na lato. I znowu nic. Parę dni temu jeden mój znajomy powiedział, że zna gospodarza, który potrzebuje pomocy latem, na wsi. Obiecał zapytać się o to. Jeśli tylko będzie to nadal aktualne, być może uda się coś załatwić.

Zostały ogrody i plantacje – sałaty, truskawek, jagód. Wybiorę się tam w sobotę na moim nowym rowerze i dowiem się wszystkiego. Strona formalna wygląda bardzo trudno. Aby podjąć pracę tutaj, trzeba starać się o pozwolenie pracy wystawione w Polsce w konsulacie albo ambasadzie szwedzkiej po przedstawieniu umowy o pracę. A każdy, tak samo jak mój szef, boi się podpisywać umowę o pracę „w ciemno". Będę szukała dalej. Wcześniej czy później na pewno mi się uda. Jeśli tylko coś znajdę, postaram Ci się wysłać taką umowę jak najszybciej. Jako student powinieneś dość szybko dostać pozwolenie na pracę. Tak wygląda strona formalna. Można też próbować obejść te przepisy, ale boję się, że to się nie uda.

Szwedzi nie znają naszych sposobów na życie. Oni zawsze postępują zgodnie z przepisami. U nich nawet nie istnieje słowo „załatwić". Ale może, mimo wszystko, trzeba próbować. Może mógłbyś zadzwonić do konsulatu i zapytać, czy jest możliwe otrzymanie pozwolenia na pracę bez umowy o pracę. Łatwiej byłoby znaleźć wtedy kogoś, kto – po Twoim tu przyjeździe i osobistym spotkaniu – chciałby Cię zatrudnić. A jeśli nie jest to możliwe, nie martw się, coś wymyślimy wspólnie.

Twoja kochająca
Jolanta

Mój drogi!

Wygląda na to, że szukanie pracy na obczyźnie należało do ulubionych zajęć młodych ludzi. Zresztą nie tylko młodych.

Moja ukochana ciotka, silna i niezależna baba, wyjechała, mając sześćdziesiątkę na karku, za pracą do Stanów. Była tam najpierw opiekunką stareńkiej sklerotyczki, a później, kiedy sklerotyczka zmarła, stanęła za barem w polskiej knajpie w Nowym Jorku. Po przyjeździe twierdziła, że mogłaby wrócić jako bogaczka, gdyby chciała „przyjaźnić się od pasa w dół z tymi biednymi, męskimi stworzeniami". A ona owszem, przyjaźnić się chciała, ale „od pasa w górę". Wróciła po roku, obwieszona srebrnymi lisami w nowej kasztanowej peruce i garsonce ze sztucznego włókna. Kupiła sobie małe, urocze mieszkanie i zadowolona z życia żyła w nim jeszcze przez długie lata z zarobionych dolarów.

Cała rodzina zazdrościła jej tych pieniędzy, a ja zazdrościłam jej tego, że przez rok mieszkała w Nowym Jorku. Zapytana, czy polubiła to miasto i co jej się najbardziej w nim podobało, odpowiedziała, że najbardziej podobało się jej własne łóżko po dwunastu godzinach stania za barem. A poza polską dzielnicą nie widziała tam nic innego, więc nie miała co polubić.

„Dziwna jest ta Szwecja"

NADAWCA: **Jolanta, Sztokholm, Szwecja**
ADRESAT: **Jorgos Panos, Wrocław, Polska**

Sztokholm, 24 maja 1980

Drogi Januszku!

Moje poszukiwania pracy dla Ciebie nie przyniosły żadnego rezultatu. Na plantacjach, w ogrodach i w szklarniach w całej okolicy otrzymałam podobną, odmowną odpowiedź. Wprowadzone od niedawna przepisy to największy, nie do przeskoczenia problem. Trzeba najpierw uzyskać umowę o zatrudnieniu i dopiero na jej podstawie starać się o pozwolenie na pracę. Myślę, że te przepisy wprowadzono, aby utrudnić cudzoziemcom uzyskanie pracy letniej i dać pierwszeństwo Szwedom.

Dodatkowe utrudnienie to sytuacja na rynku pracy i narastający konflikt między kapitalistami a pracującymi ludźmi. Ten konflikt spowodował niedawno wybuch strajku. Setki tysięcy ludzi zostało wciągniętych w ten strajk albo pozostało bez pracy wskutek zamknięcia zakładów przez kapitalistów. Dyskusje na szczycie między związkami zawodowymi a kapitalistami nie dały rezultatu. Nic prawie nie funkcjonowało w całym kraju: radio, telewizja, szkoły, transport autobusy, pociągi, samoloty, statki, sklepy, rafinerie, stacje benzynowe. I ja też musiałam siedzieć w domu, bo nie miałam jak dojechać do pracy. Po wielu dniach ogłoszono, że zarobki zostaną (niestety nie dla mnie) podwyższone, a to oznaczało powrót do normalnego życia. Strajk przyniósł milionowe straty.

Dziwna jest ta Szwecja. Przyzwyczaiłam się już do tego kraju i jego dziwnych, zamkniętych w sobie mieszkańców. Jest mi bardzo przykro, że mimo moich obietnic nic nie załatwiłam, chociaż bardzo chciałam Ci pomóc.

Jeśli uda Ci się znaleźć pracę gdzie indziej, popracuj przez część wakacji i przyjedź choćby na parę tygodni. Na przykład pracuj w lipcu, a przyjedź w sierpniu. Napisz więcej o Twoich planach na najbliższe miesiące. I czy masz kłopoty finansowe. Podróż do Szwecji może dużo kosztować, a ja tak chciałabym, żebyś przyjechał. I żeby jakieś drobne sprawy finansowe, które można załatwić, nie uniemożliwiły Twojego tutaj przyjazdu.

Bardzo za Tobą tęsknię i bardzo mi Ciebie brakuje. Często o Tobie myślę – nawet jak pracuję – i chciałabym bardzo być blisko Ciebie. Mam nadzieję, że wkrótce zobaczymy się i bardzo, bardzo tego pragnę.

Całuję i tulę mocno
Jolanta

Mój drogi!

Moja pierwsza praca na Zachodzie to było sortowanie używanych rzeczy. Instytucje charytatywne zbierały w kontenerach używane rzeczy „dla biednych". Nie wiem, czy wszystkie zebrane dla biednych rzeczy były później sprzedawane, ale spora ich część na pewno. Sortowałam te rzeczy w zimnym, zapchlonym magazynie. Te lepsze: swetry, kurtki, płaszcze, czasem futra były przeznaczone do dalszej sprzedaży, te gorsze: koszule, bielizna, nie, właściwie nie wiem, co się z nimi później działo. Może chodzą w nich kolejne pokolenia małych Murzynków?

To była dobra praca; mogłam wybrać dla siebie rzeczy, które jeszcze długie lata wzbudzały zazdrość moich koleżanek na studiach. Nie mówiąc już o tym, że zarobiłam „prawdziwe" pieniądze, które wystarczyły mi później na wiele miesięcy studiowania w Polsce. A Ty, jaka była Twoja pierwsza praca po wyjeździe z Polski?

„A jak ja Ci się podobałam jako panna młoda?"

NADAWCA: **Basiunia, Warszawa, Polska**
ADRESAT: **Jorgos Panos, Wrocław, Polska**

Warszawa, 2 lipca 1980

Kochany mój Jorgos!

Dziś czekała na mnie wieczorem taka miła niespodzianka, list od Ciebie. Dziękuję, kochany, za to. Jak wiesz, byłam na Mazurach. Ten tydzień urlopu, a właściwie podróży poślubnej, spędziłam bardzo fajnie, a właściwie zwariowanie trochę. Co wieczór było dużo, dużo picia. Szampany, ruskie, ale jednak szampany dosłownie lały się i było bardzo wesoło. Warunki mieszkaniowe cudowne. Wynajęliśmy cały domek, zresztą naprawdę kapitalny. Na dole był living-room, kuchnia i łazienka, na górze dwie sypialnie. Byli z nami Piotrek i Adaś oraz 2 psy.

Byłam bardzo zadowolona, że byliśmy w większym gronie, a nie tylko we dwoje z moim mężem. Dzięki temu nie byłam z nim cały czas sam na sam i mogłam od czasu do czasu pozwolić sobie na chwile marzeń o Tobie. Tych parę dni minęło bardzo szybko. Podczas dnia łowiliśmy ryby, spacerowaliśmy po okolicy. Muszę Ci się pochwalić, że byłam lepszym rybakiem niż chłopcy. Wieczorem smażyliśmy rybki, popijaliśmy trunki (już nie mogę patrzę na „sowieckoje igristoje"), a później szliśmy na disco.

Straciliśmy przez ten tydzień majątek, ale nastawiliśmy się na to i szaleliśmy. Jedyny minus to fakt, że utyłam na tych dużych obiadkach, czekoladkach i alkoholu pod różną postacią. Spodnie wszystkie są bardzo ciasne, ale obiecuję, że od dzisiaj odchudzam się i powrócę do normy. Za to opaliłam się bardzo i dużo, dużo myślałam o Tobie.

Byłoby cudownie, gdybyśmy kiedyś mogli pojechać sami, gdzieś nad jezioro, gdzie jest pięknie i nie ma problemów. Dziękuję Ci za Twoje cudowne słowa w liście, dodają mi trochę sił na moją przyszłość. Co do ślubu – to nie chcę o tym pisać. Trudno, stało się, nie mogłam się z niego wycofać. I chociaż jestem teraz mężatką, kocham tylko Ciebie. A jak ja Ci się podobałam jako „panna młoda"? Starałam się wyglądać jak najskromniej i chyba udało mi się to. To, że byłeś na mojej uroczystości, dodawało mi sił i dzięki temu nie rozpłakałam się mówiąc „tak". Ale to, co przeżyłam tego dnia, nie jestem w stanie Ci przekazać. A Ty? Jakie miałeś uczucia? Teraz mocno, mocno całuję, przytulam się do Ciebie i naprawdę kocham

Basia

Mój drogi!

Czy pamiętasz, jak smakowały ruskie szampany? Mam na myśli te dawne, jeszcze zrobione w sowieckim sojuzie, *sdiełano w USRR*, prawdziwe *sawieckoje igristoje*, najlepiej półsłodkie. Kosztowały grosze, a dawały, na krótko, póki gaz w kieliszku musował, poczucie przynależności do lepszego świata. Ostatecznie co szampan, to szampan, nawet ruski. Później na rynku pokazały się podróbki, robione już w Polsce. Te były okropne, słodkie, chemiczne, albo trącące mysimi gówienkami w zależności od producenta.

Byłam bardzo ciekawa prawdziwego, francuskiego szampana. I do tego koniecznie chciałam spróbować świeżutkich ostryg. Tak właśnie wyobrażałam sobie prawdziwie wykwintny świat. Kieliszek dobrze schłodzonego francuskiego szampana w ręku, a na talerzu tuzin smakowitych ostryg. Mój pierwszy łyk wytrawnego szampana nie spowodował euforii; był zbyt kwaśny. Co gorsza, ostrygi też wcale mi nie smakowały, a ich gilowata struktura wywołała odruchy wymiotne. Na szczęście drugi kieliszek szampana był już dużo lepszy, a po trzecim nawet ostrygi smakowały nieźle. Zwłaszcza jak je popieprzyłam sowicie i pokropiłam ketchupem.

„Ludzie są nieciekawi, skryci, nieprzychylni"

NADAWCA: **Jolanta, Sztokholm, Szwecja**
ADRESAT: **Jorgos Panos, Wrocław, Polska**

Sztokholm, 8 lipca 1980

Drogi Jorgos – Januszku!

Ucieszyłam się, widząc Twój list, ale zmartwiła mnie wiadomość o zmianie planów. Oznacza to, że spotkamy się dopiero we wrześniu, po moim przyjeździe do Polski.

Bardzo żałuję, że nie przyjedziesz. Jednocześnie doskonale rozumiem Ciebie i będąc w Twojej sytuacji, też wybrałabym wyprawę w poszukiwaniu pracy po Europie. Może brzmią te słowa nieprzychylnie, ale nie to mam na myśli, bo bardzo chciałbym – wiesz o tym – żebyś przyjechał. Ale wiem również, że Szwecja wielu atrakcji nie oferuje. Jest tu spokojnie, cicho, mało ludzi, tyle że piękna przyroda. Ludzie są nieciekawi, skryci, nieprzychylni. Niewiele to w porównaniu z Europą.

Może jednak zostanie Ci trochę czasu wolnego i przyjedziesz pod koniec wakacji. Tym bardziej że będziesz niedaleko; przecież z Danii do Szwecji tylko żabi skok. Jeśli oczywiście Twoje plany się powiodą i ten znajomy rzeczywiście Ci pomoże w znalezieniu pracy. W Szwecji lato zawitało na dobre. Jest ciepło i bardzo słonecznie. Zapowiadają długie i ładne lato. Zobaczymy, czy się to sprawdzi. Szwedzi oczekują lata radośnie, są wymęczeni długą i mroźną zimą. Dla mnie to lato nie będzie takie przyjemne, bo Ty nie możesz przyjechać.

Jest początek lipca, więc pozostało nam do spotkania jeszcze prawie 3 miesiące. To oznacza 3 razy 30 dni, w sumie jakieś 90, a może trochę mniej. Trudno, musimy jakoś przetrzymać ten czas. Pracuję bardzo dużo i właściwie nie mam czasu ani sił na cokolwiek poza myśleniem o Tobie.

Ściskam Cię i całuję i tulę
Jolanta

P.S. Myślę, że podobało Ci się moje zdjęcie? Tak? Napisz. Bardzo się postarałam, żeby wypaść korzystnie. Wiem, że lubisz, jak jestem troszkę umalowana, więc wytuszowałam sobie rzęsy ciemnogranatowym tuszem. Rzęsy rozdzieliłam nawet po umalowaniu starannie grubą igłą, a to jest coś, czego bardzo nie lubię robić. Mam już wprawdzie lepszy tusz niż ten, który miałam kiedyś w Polsce. Tamten nazywał się arcansil i trzeba było na niego popluć, żeby się umalować. Ten szwedzki, niby lepszy i pluć na niego nie trzeba, ale i tak skleja rzęsy. Może zresztą brak mi wprawy. Normalnie to się nie maluję, bo szkoda mi czasu. Z rana musiałabym wstać chyba z pół godziny wcześniej, żeby się umalować. No i wieczorem trzeba znowu to wszystko zmyć z twarzy, bo inaczej poduszka się pobrudzi. Więc już wolę być całkiem taka naturalna, czyli sauté. A jak Ty przyjedziesz, to znowu będę się starała wyglądać jak najlepiej, choćbym nawet codziennie musiała malować rzęsy i rozdzielać je później grubą igłą.

„Wybiję Panu wszystkie zęby”

NADAWCA: **Tadeusz Żabiczka, Warszawa, Polska**
ADRESAT: **Jorgos Panos, Wrocław, Polska**

Panie Jorgos!

Ponieważ jestem człowiekiem cywilizowanym, postanowiłem załatwić tę nieprzyjemną sprawę w sposób kulturalny. Jak się Pan nie odczepisz od mojej żony Barbary, to przyjadę do Wrocławia i połamię Panu najpierw wszystkie kości, a później wybiję Panu wszystkie zęby, jeden po drugim. I wtedy nie będziesz się już Pan mógł uśmiechać swoim nieszczerym uśmiechem, ty skubany grecki jebako.

A na koniec nakopię Pana w jaja i to tak, że ze spuchnięcia będą wielkie jak balerony. I wtedy może zostawisz Pan w spokoju nie tylko moją żonę, ale i inne kobiety.

I nie udawaj teraz Greka, że niby nie wiedziałeś, że moja żona jest już szczęśliwą mężatką, bo wiedziałeś o tym i to dobrze. Basia wszystko mi wyśpiewała, jak ją trochę przycisnąłem. I nawet nie musiałem wcale używać siły, zresztą nie jestem żadnym brutalem ani damskim bokserem. Ale z takim greckim skurwysynem jak ty, co to lata z dymiącym, to się potrafię rozprawić, spokojna głowa.

Więc jeszcze raz nalegam i upraszam Pana o pozostawienie mojej żony w spokoju. Bo jak nie, to żaden boże nie pomoże!

Tadeusz Żabiczka

„Zrobił taki harmider, że było mi wstyd przed sąsiadami"

NADAWCA: **Basiunia, Warszawa, Polska**
ADRESAT: **Jorgos Panos, Wrocław, Polska**

Jorgos kochany, boję się, że nasza bajka się skończyła. A jeśli nie skończyła się na dobre, to w każdym razie musimy o niej na chwilę zapomnieć. Wysyłam ten list do ciebie expresem, żeby szybciej doszedł. Przygotuj się na złe wiadomości, mój kochany. Musimy teraz, z konieczności i mam nadzieję, na krótko, przerwać naszą korespondencję.

Mój mąż znalazł przypadkiem Twoje listy. Możesz sobie wyobrazić, jakie rozpętało się piekło. Tadzio był najpierw tak strasznie wściekły, że aż się go bałam. Wrzeszczał, walił pięścią o ścianę, żądał wyjaśnień, groził rozwodem. Jak wariat jakiś, tak się zachowywał. Zrobił taki harmider, że było mi wstyd przed sąsiadami. Co oni sobie o nas pomyślą? Przecież jesteśmy dopiero po ślubie, a tu taka awantura.

Kiedy mu wszystko o nas opowiedziałam, rozpłakał się jak małe dziecko i w końcu musiałam go pocieszać. Obiecałam, że nie będę do Ciebie pisać ani się z Tobą kontaktować. Prosił mnie, więc w końcu obiecałam mu też, że znikniesz z mojego życia na zawsze. Cóż innego mogłam zrobić, gdy on siedział tak przede mną zapłakany, biedny, nieszczęśliwy. Żal mi go było strasznie.

Jednak już teraz boję się, że nie będę umiała dotrzymać mojej obietnicy. Jak sobie pomyślę, że miałabym żyć bez możliwości zobaczenia się z Tobą, kochany, to płakać mi się chce. Proszę Cię więc, bądź cierpliwy i czekaj na mnie.

Muszę dać trochę czasu Tadkowi, żeby doszedł do siebie. Jak tylko droga będzie wolna, natychmiast odezwę się do Ciebie.

Obiecuję Ci to, kochany, i możesz mi wierzyć, że moja obietnica dana Tobie jest inna niż ta dana Tadkowi. Mimo iż on jest moim mężem, to czuję się bardzo związana z Tobą. Bo tak naprawdę liczą się tylko te więzy, które są niewidoczne. Te są najsilniejsze, tak myślę, te dają nam siłę żyć, albo nas pogrążają.

Na dziś już kończę, kochany. Muszę jeszcze zrobić zakupy, a sam wiesz, ile to teraz wymaga wysiłku i czasu, by kupić najprostsze artykuły spożywcze, nie mówiąc już o mięsie.

Ściskam Cię bardzo, bardzo mocno, czekaj na mój znak
Barbara (Basiunia) Żabiczka

„Więc może jeszcze wyjdzie to dobre”

NADAWCA: **Alusia, Krosno, Polska**
ADRESAT: **Jorgos Panos, Wrocław, Polska**

Krosno, 15 września 1980

Drogi Jorgos!

Na wstępie serdecznie Cię pozdrawiam i całuję super. Już jestem w Polsce. Musiałam wcześniej wyjechać. Jeżeli napisałeś kartkę do mnie do Kopenhagi, to ja już nie zdążyłam jej otrzymać. A jeśli, co gorsza, czekałeś na mnie gdzieś w Kopenhadze, to bardzo mi przykro i przepraszam. Ciekawa jestem, jak minęła Ci podróż z powrotem i w ogóle cały Twój pobyt w tej odległej wiosce, na północy Danii. Rozumiem, że byłeś tam głównie z powodów praktycznych, ale jednak ja byłam zadowolona, że mogłam zostać w Kopenhadze. Jednak co duże miasto, na dodatek stolica, to duże miasto. Nie pytam, czy dużo zarobiłeś, bo wiadomo, pieniądze, rzecz nabyta. Gorzej, że nawet nie wiem, czy jesteś teraz w Polsce czy gdzieś indziej. Może w Grecji, tak jak planowałeś, no bo chyba już nie w Danii?

Naprawdę bardzo żałuję, że nie mogliśmy się zobaczyć w Kopenhadze. Ale widocznie tak miało być. Bardzo bym chciała zobaczyć się z Tobą. To byłoby super. Może przyjechałbyś do mnie, tak jak się umawialiśmy. Moi rodzice na pewno chętnie by Cię poznali. Możesz przyjechać, kiedy chcesz, to ja wezmę wtedy parę dni urlopu. Mielibyśmy dużo czasu dla siebie.

Ten miniony urlop to ja uznałam za najgorszy, jaki kiedykolwiek miałam. Sam wiesz dlaczego. I nawet te pieniądze, co je zarobiłam, tak mnie nie cieszą. Chociaż oczywiście przydadzą się bardzo. Ale jak to mówią, nie ma tego złego, co by na dobre nie wyszło. Więc może jeszcze wyjdzie to dobre, jak przyjedziesz do mnie do Krosna.

Czekam na odpowiedź
Całuję
Alusia

„Wrócisz stęskniony jak ja”

NADAWCA: Halusia, Wrocław, Polska
ADRESAT: Jorgos Panos, Wrocław, Polska

Wrocław, 25 września 1980

Jorgos mój ukochany!

Podaję ten list przez znajomego, bo tak jest pewniej. Myślę, że już jesteś w Grecji, ale nie wiem na pewno. Doprawdy nie wiem czemu, ale oprócz pierwszego listu, który wysłałeś miesiąc temu, nie otrzymałam nic. Dlaczego? Czyżbyś nie otrzymał moich listów? Przecież krótką wiadomość możesz napisać. Wrócisz – wiem o tym na pewno – stęskniony jak ja, pachnący daleką Grecją, greckim słońcem. Pewnie jest Ci tam dobrze, skoro nie masz czasu napisać do mnie...

Myślę o Tobie często, kupiłam Ci naprawdę fajną rzecz, ale nie powiem Ci, co to jest, zobaczysz dopiero, jak przyjedziesz. To z pierwszych pieniędzy, które zarobiłam, pracując w butiku z odzieżą. Sprzedaję tam głównie szyte bluzki i żakiety dla pań w średnim wieku. Ten butik funkcjonuje całkiem dobrze i myślę, że właścicielka zarabia na nim niezłe pieniądze. Szkoda tylko, że mnie płaci stosunkowo mało, ale nie narzekam, bo to praca tylko na wakacje. Jeszcze parę dni i już zaczną się wykłady i trzeba będzie wrócić na Uczelnię.

Sprzedawanie ciuchów idzie mi coraz lepiej. Nie lubię tylko tych wybrednych damulek, co to udają wielkie halo. Najgorsze są te paniusie, które myślą, że są stworzone do bycia księżniczkami, a nie do zwyczajnej egzystencji w Peerelu. Zawsze mam wtedy ochotę powiedzieć do takiej baby „spadaj, kurwo”, tak, żeby ją zaszokować. Oczywiście nie robię tego, broń Boże, znasz przecież swoją, dobrze wychowaną, Halusię.

Oprócz tej pracy wzięłam się też ostatnio za robienie broszek z modeliny i sprzedaję je przez jednego znajomego prywaciarza. Nieźle na tym wszystkim zarabiam, ale wieczorami jestem bardzo zmęczona. Tak jak dzisiaj. Jest już prawie jedenasta wieczorem, więc jeszcze tylko mała kąpiel i spać spać. Benzyna znowu podrożała, tak jak i wszystkie inne rzeczy, o ile oczywiście są one w ogóle do zdobycia. Bo z zaopatrzeniem jest bardzo źle, dużo gorzej niż wtedy, kiedy wyjeżdżałeś.

Jak wrócisz, muszę Ci opowiedzieć o wszystkim, co się w międzyczasie wydarzyło w Polsce. A może zresztą już o tym czytałeś albo słyszałeś w Grecji. Moi rodzice bardzo się martwią tą sytuacją. Podobno cały kraj strajkuje. A najbardziej stocznie na wybrzeżu (podobno tam się to zaczęło) i kopalnie na Śląsku. Nawet u nas we Wrocławiu są zakłady, które stoją. To się nazywa teraz „przestoje w produkcji". Nie wiem dokładnie, o co chodzi tym strajkującym, bo jak wiesz, polityka nigdy specjalnie mnie nie interesowała. Trudno jest jednak udawać, że się nie widzi i nie słyszy, co się dzieje. Wszyscy tym teraz żyją, i moi rodzice, i ludzie w kolejkach.

Tylko Twoja Halusia woli myśleć o Tobie, Jorgosku. Odezwij się, odezwij się, kochany, szybko. Wtedy wróci mi spokój i znów będę mogła zasypiać z Tobą w objęciach. Całuję Cię i bardzo tęsknię

Twoja Halusia

„Policja pałowała spokojnych demonstrantów"

[list pisany po grecku]

NADAWCA: kuzynka Maria G., Salamina, Grecja
ADRESAT: Jorgos Panos, Wrocław, Polska

Salamina, 18 listopada 1980

Przepraszam, że tak długo nie mogłam zabrać się do odpisania. Już dawno powinnam Ci podziękować za to, że przysłałeś mi zaproszenie do Polski. Chętnie bym przyjechała, ale ja myślę, że nie będę mogła z niego skorzystać, bo mój szef nie da mi wolnego. Na Boże Narodzenie wyjadę tylko na parę dni, może na wieś w Macedonii. Jestem bardzo zmęczona – to fakt.

Jesteśmy bardzo smutni, bo umarł mój wujek, a do tego ktoś nam otruł mojego psa. Więc rozumiesz, że jesteśmy teraz bardzo smutni – mieliśmy go już od tak dawna. Mam na myśli psa, ale wujka też żałuję i to bardzo.

Ale ja bym chciała przyjechać teraz do Polski i z bliska zobaczyć to wszystko, o czym piszesz. Te wydarzenia teraz są bardzo interesujące i nawet w dzienniku greckim mówili o tym. I to nie raz.

Jorgos, widziałam ostatnio film w reżyserii Tzimas'a *Człowiek z goździkiem* na temat Belojanisa. Jest naprawdę świetny i grają w nim wszyscy wielcy aktorzy. Mówię Ci o tym dlatego, bo pamiętam, jak mi pisałeś, że we Wrocławiu stoi pomnik Belojanisa. Dziwne, bo przecież Belojanis był greckim bojownikiem w antyhitlerowskim ruchu oporu. Więc nie rozumiem, dlaczego Polacy postawili mu pomnik. A może został on postawiony przez Greków mieszkających w Polsce, pewnie tak... I tak jednak nie rozumiem, dlaczego Polacy zgodzili się na to. Ale może to taka polska, romantyczna fantazja, jak Ty to nazywasz. Nie masz tam gdzieś dla mnie jakiegoś romantycznego polskiego przystojniaka, żeby mi brzdąkając na bałałajce, całymi wieczorami deklamował miłosne wiersze? Tylko, proszę, nie zapomnij o tej bałałajce, bez niej żaden przystojniak nie ma u mnie szans!

W ostateczności może też być jakiś szwoleżer albo ułan w pięknym mundurze, co to na konia umie jednym susem wskoczyć. No dobra, zejdźmy do poziomu. Poszukaj dla mnie jakiegoś normalnego fajnego chłopaka, najlepiej z greckimi korzeniami, byle nie pił za dużo i umiał zarobić na rodzinę. Koniecznie daj mi znać, jak go znajdziesz, co?

Widziałam też inny film *Aleksander Wielki* zrobiony przez Angelopoulosa. Film jest – tak napisali w recenzji – piękny, ale też bardzo trudny i długi, bo prawie czterogodzinny. Niby jakieś rozliczenia z grecką historią, ale ja tam nie wierzę w żadne rozliczenia. I ten film jest też tak samo popaprany jak grecka historia. Zresztą każdy patrzy na wydarzenia historyczne tylko ze swojej strony, a drugiej to już wcale nie widzi.

Prawdę mówiąc, jak bym nie przeczytała przedtem recenzji, to bym nie wiedziała, o co w tym filmie chodzi. Czasem myślę, że to prawda, co niektórzy mówią, że Angelopoulos robi filmy dla siebie. Krótko mówiąc, nudy i jeszcze raz nudy! Ale jaka kultura obrazu! (Tak napisali w tej recenzji, która Ci zresztą wysyłam).

Jorgos, piszesz, że w Polsce dzieją się teraz ciekawe rzeczy. Ale my też mieliśmy ostatnio ciekawe wydarzenia. Na pewno już zresztą słyszałeś, co się u nas działo na Politechnice Ateńskiej. Studenci chcieli uczcić siódmą rocznicę buntów i strajków studenckich z czasów dyktatury czarnych pułkowników, ale skończyło się to wielką bijatyką. Trudno sobie to wszystko zresztą wyobrazić, jak się tam nie było. To był jeden wielki gnój. Nie wiem, czy słyszałeś, że jedna dziewczyna zmarła i jeden chłopak jest w ciężkim stanie, bo tak go zbili. To wszystko było naprawdę okropne i przypominało najgorszy okres dyktatury. A przecież mamy już demokrację od paru lat. Szkoda gadać, politycy, ci z lewa i ci z prawa, zawsze najlepiej dbają tylko o siebie i swoich, jak się dopchają do żłobu. Obiecują tylko po to, żeby być wybranym, a później to już ich nic nie obchodzi.

Świnie niekastrowane i tyle. Byle się zdążyć nażreć i ponapychać kieszenie do nowych wyborów, to cała ich polityka i program. Więcej nie ma nic, nie miej złudzeń.

Zaczęło się spokojnie. Najpierw demonstrowali studenci, ale po południu dołączyli się do nich anarchiści. I zaczęło się... Anarchiści zapowiedzieli, że będzie bijatyka. I była. Najdziwniejsze było to, że policja pałowała spokojnych demonstrantów, a nie anarchistów. I nie robiła nic, jak anarchiści zaczęli rozbijać sklepy i wynosić wszystko. Agenci w nowiuteńkich kaskach tylko stali i patrzyli z odległości 50 metrów. I polowali na studentów i pałowali ich strasznie. Bo co jak co, ale do pałowania to nasi politycy zawsze pierwsi.

W stoczni też nie dzieje się dobrze. Nasz szef już zapowiedział, że teraz jego kolej i że da nam popalić i zaczął zwalniać ludzi. Prawo jest takie, że niby nie można zwolnić więcej niż 4 procent pracowników miesięcznie, ale on już sobie załatwił specjalne pozwolenie i teraz może tyle ludzi zwolnić, ile będzie chciał.

Nie wiem, czy i ja nie zostanę zwolniona, ale zobaczymy. Na razie pracuję.

Całuję Cię i pozdrawiam Twoją rodzinę
Maria

„Niektóre kobiety Bozia stworzyła na pociechę mężczyznom"

NADAWCA: **Marylka, Gdynia, Polska**
ADRESAT: **Jorgos Panos, Wrocław, Polska**

Kochany mój grecki skarbusiu!

Życie to jednak potrafi płatać człowiekowi figle, jednak ja takie figle bardzo lubię. Kiedy wróciłam do domu po naszym spotkaniu, byłam wymęczona Tobą strasznie. Spałam chyba przez 15 godzin bez przerwy, ale dobrze mi to zrobiło. Mam na myśli nie tylko spanie. Już myślałam, że nigdy coś takiego mi się nie przydarzy, a tu proszę.

Co tu dużo mówić, jak człowiek ma romantyczną naturę, to czy mężatka, czy panienka, tej natury nie ukryje. I ja Ci za to, Jorgos, dziękuję, bo dzięki Tobie znowu jestem sobą. Wróciła moja wesołość i dzięki temu wzięłam się dziś za wielkie sprzątanie. Bo ostatnio to taka byłam markotna, że nic mi się nie chciało. Tylko co najbardziej było konieczne, robiłam, a to, co mniej widoczne, to już nie.

Pomyłam dziś prawie wszystkie okna, bo jeszcze trochę i nic już przez nie byłoby widać. W takim kiepskim byłam stanie przez ostatnie miesiące. Już nawet mama moja zaczęła na ten temat narzekać. „Zobaczysz" – mówiła – „jak przyjedzie Twój mąż z morza, to dopiero Ci się oberwie za takie brudne okna". Że niby ona ma takie czyste, myślałby kto. Ale dziś to sprzątanie poszło mi raz, dwa. I to jeszcze ze śpiewem na ustach.

Ta moja wesołość to zawsze wszystkim się podoba, a najbardziej to mężczyznom. I co ja na to mogę poradzić, że taką mnie Bozia stworzyła. Jakąś mnie stworzyła, mówię czasem w modlitwie do Panienki Niebieskiej, to taką mnie masz.

Przecież my sami nie wybieramy sobie, kim jesteśmy, czy to grubi, czy to brzydcy, czy głupi. Każdy wolałby być piękny i młody i bogaty. I żadna kobieta nie chciałaby być tłustą brunetką bez piersi, a za to z krostami na twarzy. Bo ja myślę, Jorgos, że niektóre kobiety Bozia stworzyła na pociechę mężczyznom. Te mają temperament, są niebrzydkie i mają duże piersi.

Na dziś już będę kończyć, bo jeszcze chcę skończyć to mycie okien. Zostało mi jeszcze jedno w kuchni, ale wymyję je w trymiga, taka jestem nabuzowana dobrą energią.

Ściskam Cię i proszę o jeszcze

Marylka

„A tego dupka prezydenta będą wymieniać wszystkie podręczniki historii”

[list pisany po grecku]

NADAWCA: **kuzynka Maria G., Salamina, Grecja**
ADRESAT: **Jorgos Panos, Wrocław, Polska**

Salamina, 8 maja 1981

Jorgos, Ty kryminalisto!

Piszę do Ciebie, bo nie mam do kogo pisać, a mi się chce. Przede wszystkim muszę Ci powiedzieć, Jorgos, że zawsze czekam na Twoje listy. Szkoda gadać, stara miłość nie rdzewieje. Tylko że Ty, niedorobiony grecki serze, zawsze tak strasznie przeklinasz w swoich listach i to mi psuje przyjemność ich czytania. Klniesz jak robotnik w porcie Pireus, co nie dostał w sobotę zapłaty. Albo jeszcze gorzej, jak dziewica, którą ktoś wymacał na schodach. No, to ja się Ciebie pytam, Jorgos, po kiego chuja Ty to robisz? Przecież ja wiem, że umiesz dobrze mówić i pisać po grecku. Chcesz mi zaimponować Ty, od miesięcy nie czesany kołtunie na głowie greckiej sieroty? A może myślisz, że dzięki temu wkradniesz się w moje łaski i będziesz miał u mnie fory? Nic z tego, Ty rozpaprany kotlecie mielony! Mam tylu kandydatów do narzeczeństwa i żeniaczki, że muszę się od nich opędzać jak kwitnąca akacja od srających komarów. (No nie wiem, skąd mi się wzięło takie powiedzenie). Więc żebyś sobie nie myślał, perfidny grecki synu synogarlicy i kaczki.

Twoje błędy w pisowni greckiej wcale mi za to nie przeszkadzają. Nawet to, że Polska po grecku – Polonia nie umiesz pisać. Piszesz dwa razy to samo „o”, a powinno być: pierwsze

„o" mikron, a drugie – omega. Ale tak poważnie, Jorgos, to Twoje listy są najśmieszniejsze. Twój brat Markos, jak już skrobnie parę słów, to zawsze tylko na serio. No i oczywiście nigdy ani słowa za dużo, nie mówiąc już o jakimś soczystym wyrażeniu. Może nie umie albo myśli, że się obrażę? Pozdrów go, czy tak czy tak, ode mnie.

W Atenach był ostatnio taki smog, że ludzie lądowali w szpitalach. Zwłaszcza starzy ludzie nie mieli czym oddychać. Niby wszyscy biedni, narzekają, że z pieniędzmi krucho, a samochodów tyle jeździ, że smog się zrobił gęsty jak wełniany koc. I tak to trwa już od paru tygodni. Zaczęło się w kwietniu, a jest przecież maj. Ale dziś powiało trochę wiatru, więc wkrótce powinno być lepiej.

Pozdrów wszystkich Twoich i nie zapomnij o mnie

Twoja Maria

P.S. Pamiętasz, jak Ci pisałam o tych wydarzeniach listopadowych na Politechnice Ateńskiej w ubiegłym roku? Że studenci chcieli uczcić siódmą rocznicę buntów, które w 1973 roku przywróciły Grecji demokrację po okresie dyktatury. Wszystko skończyło się rozruchami i bijatyką, pisałam Ci o tym. Ten dupek i stary pierdoła, nasz prezydent Karamanlis, dał policji nowe kaski i rynsztunek i pewnie dlatego policjanci chcieli pokazać, co potrafią. Dwoje młodych ludzi zginęło w zamieszkach. Lakovos Koumis i Stamatina Kanellopoulou stracili życie poturbowani przez policjantów. Wymieniam ich nazwiska dlatego, że już niedługo wszyscy pewnie o nich zapomną. A wydarzenia historyczne często tworzą tacy właśnie młodzi ludzie, później bezimienni. A tego dupka prezydenta będą wymieniać wszystkie podręczniki historii.

„Najbardziej lubię te ogromne, wielokolorowe”

NADAWCA: **Jolanta, Sztokholm, Szwecja**
ADRESAT: **Jorgos Panos, Wrocław, Polska**

Sztokholm, 2 czerwca 1981

Kochany Januszku!

Nie gniewaj się, że długo dziś pisać nie będę, ale mam zły dzień. Po pierwsze zgubiłam klucze i co gorsza, wcale nie wiem gdzie. Mam na szczęście zapasowe klucze, więc nie muszę zmieniać zamka, ale co jeśli tamte zostały znalezione przez kogoś, kto wie gdzie mieszkam?

Teraz boję się, że będę się bała, jak tylko usłyszę jakiś podejrzany szmer albo hałas w domu. Ten ktoś może przecież przyjść tutaj z zamiarem okradzenia domu albo jeszcze coś gorszego. To już mogę zapomnieć, że będę wypoczęta po takiej nocy. A przecież muszę pracować i nie mogę sobie pozwolić na takie głupoty.

Poza tym jestem bardzo przygnębiona tym zamachem na naszego papieża. Myślę, że jest on nie tylko dostojnikiem kościoła, ale też po prostu dobrym człowiekiem. W swojej torebce zawsze noszę przy sobie malutkie jego zdjęcie wycięte z jakiejś gazety. Nie jest ostre, ale widać na nim jego twarz, z takim łagodnym uśmiechem. Ilekroć patrzę na to zdjęcie, to też się uśmiecham i jakoś łatwiej mi się żyje przez cały dzień. Właściwie to nie jest to dla mnie nawet ważne, że to papież. Bardziej widzę w nim kogoś, kto jest mi bliski i komu ja jestem bliska.

Właściwie to bez sensu, co teraz piszę, ostatecznie Wojtyła nie jest Jezusem ani Bogiem, żeby się mną opiekować.

Ale teraz jak jestem tutaj w Szwecji sama, to dobrze jest nosić czyjeś zdjęcie w torebce i dzięki temu lepiej się czuć. Nie wiem, jak Ci to wytłumaczyć. Twoje zdjęcie też noszę w torebce i zawsze muszę się uśmiechać, jak na Ciebie patrzę. Jesteś dla mnie bardzo ważny, najważniejszy, ale inaczej niż nasz papież. Bo on taki bardziej jak tata, którego przecież w ogóle nie znam. Nie skarżę się, bo umiem sobie w życiu radzić i bez ojca, ale smutno mi, że ktoś – jakiś łajdak – chciał zabić Wojtyłę.

Nie rozumiem, co to za chory umysł mógł wymyślić taki zamach. I po co? Czy był to szaleniec, który działał na własny rachunek, czy też profesjonalny zabójca, tego pewnie nie dowiemy się nigdy.

Wczoraj byłam na mszy w kościele polskim. Modliłam się długo, tak jak chyba jeszcze nigdy tego nie robiłam. Wiesz, że nie jestem żadną bigotką, co to bez kościoła i 100 zdrowasiek dziennie żyć nie może. Jednak w ciężkich chwilach dobrze mi to robi. Może to jest po prostu chwila ciszy i wsłuchania się w siebie, nie wiem.

Poza tym dobrze jest posiedzieć sobie po prostu i nic nie musieć. Ostatecznie tego „musienia" jest tyle, że czasem trzeba mieć jakąś odskocznię. To może być kościół albo coś innego. Rozejrzę się tutaj, czy nie ma możliwości, żeby dostać w Sztokholmie ogródek działkowy. Zawsze lubiłam grzebać się w ziemi.

Zrobiłabym sobie grządki i zasadziłabym trochę warzyw. Jednak nie ma to jak własne warzywa bez chemicznych środków i innych świństw. Najbardziej lubię świeżą marchewkę prosto z grządki. Wystarczy ją otrzepać trochę z ziemi i już można chrupać. I ogórki, takie świeże z szorstką skórką. Ale ogórki nie zawsze się udają i trzeba mieć na nie trochę więcej ziemi niż w ogródku działkowym. Cebula też może być, no i buraczki albo pietruszka. Zasadzę też kwiaty, najlepiej peonie na obrzeżach. Najbardziej lubię te ogromne, wielokolorowe. Na przykład białe w środku, a bordowe na obrzeżach albo, jeszcze lepiej, złote z granatowym.

Podobno papież jest już po operacjach i czuje się lepiej. Piszę Ci o tym dlatego, że nie wiem, czy jesteś na bieżąco tych wydarzeń.

Chcę też po prostu pobyć z Tobą trochę, tak długo, jak trwa pisanie tego listu.

Całuję
Jolanta

„Teraz pewnie wszyscy woleliby mieszkać w Grecji"

NADAWCA: Jolanta, Sztokholm, Szwecja
ADRESAT: Jorgos Panos, Wrocław, Polska

Sztokholm, 17 sierpnia 1981

Drogi Jorgos – Janusz!

Nie wiem, czy jesteś w domu, we Wrocławiu czy w Grecji. Właściwie to nie jest istotne. I tak widzimy się tak rzadko. Gdybyś wiedział, jak często piszę listy do Ciebie, których nie wysyłam, tylko dlatego, że nie wiem, gdzie jesteś.

Czytałam ostatnio polską gazetę. Zaczęłam od horoskopu. A tam, proszę, taka wiadomość: „Twoje życie uczuciowe natknie się na wielką przeszkodę w postaci konkurencji. Może to być ktoś, kogo znasz albo kogo nie znasz. Wielkie niebieskie oczy uwiodą Twojego partnera, ale nie martw się, na krótko. Nie pozwól, żebyś poczuła się przez to gorsza. W przeszłości wielokrotnie pokazałaś już, na co Cię stać. Twój partner wie o tym i w głębi serca czuje się podle z powodu swojej zdrady. Nie trać poczucia własnej wartości, kup sobie nową szminkę albo kolorowy ciuch". Wcale mi nie było do śmiechu, jak to przeczytałam.

A później inne wiadomości były jeszcze gorsze. W sklepach nie ma nic. Jakaś kobieta napisała, że nie może kupić żadnych butów dla swoich dzieci, nawet śniegowców. Że brakuje wszystkiego: mydła, ubrań i żywności. Smutne wiadomości dotyczące zatrutej Zatoki Gdańskiej, bo cóż to za lato bez morza, plaży i kąpieli. To zatruwanie środowiska prowadzi do samozagłady człowieka. Ludzie powinni zdać sobie z tego sprawę w porę, póki jeszcze jest szansa odwrotu. Taka była moja lektura. Ale nie chcę już o tym pisać, bo Ty i tak wiesz o tym wszystkim.

Napiszę Ci, co robię i jak wygląda teraz moje życie. Pogoda jest ostatnio bardzo zmienna: parę dni ciepłych i słonecznych, parę dni deszczowych. W dobre dni jeżdżę nad jezioro, położone 22 km stąd. Jest pięknie położone, woda w nim czysta, przezroczysta, plaża niewielka, ale piaszczysta i ładna. Przy jeziorze jest klub „windsurfing". Chyba znasz ten popularny ostatnio sport – jazdę na desce z żagielkiem na wodzie. Sporo ludzi widać na tych deskach z żagielkiem, głównie młodych. Sama jeszcze nie próbowałam, ale mam na to wielką ochotę. Może w przyszłym roku?

W deszczowe, pochmurne dni załatwiam różne sprawy: zakupy, sprzątanie, papiery. Poza tym pracuję cały czas. Mam tydzień urlopu na początku września. Z urlopu we Francji nic nie wyjdzie. Nie mam na to funduszy, a zresztą tydzień to za mało na Francję. Ledwie tego czasu starczyłoby na Paryż, a cóż dopiero mówić o całej Francji. To taki ogromny kraj. Sam wiesz, jak lubię Francję. Tam się inaczej żyje niż w Szwecji. Ludzie są inni, potrafią cieszyć się życiem, jedzeniem, sobą. Gdybym tylko mogła wybrać sobie miejsce urodzenia, to wybrałabym Francję. Nawet niekoniecznie Paryż. Mogłaby też być prowincja.

Już lepiej urodzić się na francuskim zadupiu niż w tym zimnym skandynawskim kraju.

O Polsce nie piszę, bo nikt przy zdrowych zmysłach nie chciałby urodzić się w Polsce, gdyby miał wybór. Twoi rodzice też przecież nie wybierali Polski świadomie. Mówiłeś mi, że musieli uciekać z Grecji po wojnie i los rzucił ich do Polski. I tam zostali. Ale dzięki temu Ty urodziłeś się w Polsce i mówisz po polsku.

Cieszę się, że mówimy tym samym językiem. Nawet nie wiesz, jakie to smutne nie móc się dobrze porozumiewać z innymi ludźmi. Szwedzki nie jest ani łatwy, ani ładny. To takie bardziej charczenie, a nie język. Radzę sobie jakoś, ale to co innego. Nie chciałabym zakochać się w jakimś Szwedzie. Trudno byłoby mi znaleźć tyle ciepłych słów, które znam po polsku. Nie wiem też, jak mogłabym mówić szeptem po szwedzku. Bo szeptanie po szwedzku brzmi po prostu idiotycznie. Ten język nie nadaje się do tego.

Na ten tydzień urlopu będę musiała wymyślić coś innego. Pewnie skończy się na wędrowaniu i spacerach po okolicy. Zaraz po urlopie zaczynam szkołę, to znaczy kurs języka szwedzkiego. Później dojdzie reszta przedmiotów. Mówiłam Ci o tym ostatnio, gdy się widzieliśmy. Nie wiem jeszcze dokładnie, co mam zdecydować odnośnie mojej przyszłości. Z tym krajem nie łączy mnie żadna więź uczuciowa. Zawsze myślałam, że pobędę tu najwyżej parę lat i przeprowadzę się.

Powrót do Polski jest niemożliwy ze względu na przebieg wydarzeń ostatniego roku w kraju. Sam wiesz, co się teraz w Polsce dzieje. Nikt nie wie, w jakim kierunku rozwinie się ta sytuacja i ja też nie. To wszystko jest takie niepokojące, ten chaos, bieda, strajki. Już sama nie wiem, co mam o tym wszystkim myśleć.

To nie jest stabilna sytuacja, wręcz przeciwnie. Z czasem wykrystalizuje się to wszystko i wtedy będzie mi może łatwiej podjąć jakąś decyzję. Na razie nastawię się na kształcenie i oszczędzanie, to znaczy na intensywniejszą pracę, która dałaby mi większe możliwości. Przeprowadzka do innego kraju wymaga dość dużego kapitału, aby mieć jakiś start zapewniony. Dużo myślę o tym wszystkim.

Zimą chcę się przeprowadzić do domku trzyrodzinnego, położonego na drugim krańcu miasta, w zielonej, spokojnej dzielnicy. Domki nie są jeszcze zbudowane, ale w Szwecji budowa idzie bardzo szybko, nie tak jak w Polsce. Wprawdzie dobrze się czuję w moim małym mieszkaniu, ale dzielnica nie odpowiada mi. Pełno tu jakichś łobuziaków i coraz więcej imigrantów. To może Ci się wydać dziwne, że ja, emigrantka, tak mówię.

Ale są emigranci i emigranci. Jedni wyjeżdżają ze swoich krajów, bo muszą. Inni, bo chcą mieć pracę i normalne życie.

Jeszcze inni, bo wydaje im się, że w Europie jest sam luksus, który można mieć bez pracy i codziennego porannego wstawania z łóżka. Że państwo da na wszystko. A właściwie nie państwo, tylko Wydział Socjalny. I tego właśnie nie rozumiem, bo przecież sama ciężko pracuję na lepsze życie.

Te domki są własnościowe. Wkład jest niewielki – 9 tysięcy, a po paru latach powinno się dostać więcej przy sprzedaży. To będzie pierwszy, własny dom w moim życiu. Wiem, że większość ludzi w Polsce nigdy nie dorobi się własnego domu w Polsce i za to jestem Szwecji wdzięczna.

Napisz mi, jak Ci idzie praca dyplomowa. Nadal marzysz o wyjeździe na stałe do Grecji? Pewnie tak. Teraz pewnie wszyscy woleliby mieszkać w Grecji, a nie w Polsce.

Już nawet Szwecja jest lepsza.

Całuję
Jolanta

„Wielkie gorące bąble"

NADAWCA: Marylka, Gdynia, Polska
ADRESAT: Jorgos Panos, Wrocław, Polska

Kochany mój grecku skarbusiu!

Tak jak Ci obiecałam, piszę do Ciebie kilka słów. Właściwie nie bardzo wiem, o czym pisać, bo nic się tutaj nie dzieje. Nuda i jeszcze raz nuda, w sklepach pusto, tylko ceny coraz wyższe. Z tej nudy to nawet wzięłam się za zbieranie kapsli od wody sodowej. A zaczęło się od tego, że w radiu słyszałam audycję o zbieraniu makulatury i materiałów wtórnych. Makulatura to mnie nie interesuje, bo nie lubię czytać, ale wodę sodową piję, jak nie ma nic innego.

Bo ja na ten przykład lubię kieliszek albo dwa wina słodkiego, hiszpańskiego, co się lakrima nazywa. Ale jak nie ma wina, to i woda sodowa może być, najlepiej ta z bąbelkami, nie jestem wybredna. Normalnie to te kapsle zawsze po prostu wyrzucam, ale chyba źle robię.

Bo w radio powiedzieli, że jak się uzbiera 300 kapsli od wody sodowej, to można za to dostać majtki w wybranych sklepach. Tylko w Gdańsku, a w Gdyni to już nie.

Pomyślałam sobie, że zacznę zbierać te kapsle, żeby pokazać mężowi, jaka jestem gospodarna. On zawsze narzeka, całkiem bez powodu zresztą, że tyle pieniędzy wydaję. A majteczki zawsze się eleganckiej kobiecie przydają. Miałam tylko nadzieję, że to jakieś ładne majteczki, koronkowe, a nie barchany do kolan. Ale skończyło się na tym, że uzbierałam 10 kapsli i mi się odechciało. Bo przecież musiałam tę wodę sodowa pić, nie jestem głupia, żeby ją wylewać. No to po 10 butelkach wody sodowej dałam sobie spokój. Więc nawet nie wiem, czy te majtki były koronkowe czy barchanowe. Zrezygnowana, wybrałam się do peweksu, gdzie wydałam trochę dolarów. Kupiłam sobie komplecik bielizny i śliczną, pikantną koszulkę nocną z przybraniem koronkowym. A wszystko przez te kapsle.

Parę dni temu byłam na urodzinach jednego znajomego, którego nie znasz. Poszłam dlatego, że byłam bardzo smutna. Poprzedniego dnia była moja rocznica ślubu, ale ani on, mój mąż, ani nikt z bliskich i znajomych o tym nie pamiętał. Więc już na żadną rocznicę ślubu żadnej hołoty prosić nie będę. I dlatego poszłam na te urodziny, chociaż specjalnie ochoty nie miałam. Zasiedzieliśmy się prawie do 3 rano, więc musiałam zostać tam na noc.

Tylko nie myśl sobie o mnie nic złego. Spałam w pokoju jego matki, która jest teraz w sanatorium. Jestem bardzo grzeczna, na żadnych imprezach się nie upijam, a od czasu do czasu muszę spotykać się z ludźmi. I tak więcej siedzę w domu, że aż czasami mam serdecznie dość. Jak pomyślę, że ta rozłąka z moim mężem jeszcze tyle czasu potrwa, to mi się żyć odechciewa.

Samotność jest taka okropna. Zezłościła mnie ostatnio moja sąsiadka, której się poskarżyłam na samotność. Mówię jej, że ciężko mi tak być samej, bo mąż ciągle w morzu, a ona na to „niech pani nie narzeka, co chwila goście przychodzą". No to się wkurzyłam, ale nie pokazałam tego po sobie. Jakie goście, jakie goście, co ona tam wie.

Dobrze chociaż, że mam czym się w domu zająć. Dostałam ostatnio 100 marek od mojej ciotki z RFN. Jak je wymieniłam na złote, to miałam ładny kawałek grosza. Bardzo mi się one przydadzą na odnowienie mieszkania. Kupiłam na razie tapetę w paski do kuchni. Do pokojów chcę kupić coś spokojnego, najlepiej w pastelowym kolorze. Jak znajdę to, czego szukam, wezmę się za remont, ale nie wiem, czy mi tych pieniędzy na wszystko wystarczy.

A teraz coś na rozczulenie mojego greckiego skarbusia. Stęskniłam się już za Tobą, to fakt. Wspomnienie naszych wspólnych nocy jest dla mnie przyjemnym odskokiem od szarej codzienności. Mam nadzieję, że niedługo znowu będziemy się mogli zobaczyć, choćby na krótko.

Chciałabym Cię objąć i uścisnąć najmocniej jak potrafię, wycisnęłabym wszystkie soki, potem przykleiłabym się jak meduza i pieścilibyśmy się dzień i noc. Ale na to musimy jeszcze trochę poczekać.

Więc w zastępstwie: rozluźnij wszystkie mięśnie (oczu nie zamykaj, bo musisz czytać), odepnij zamek, zdejmij majteczki i pozwól zrobić sobie przyjemność.

Wyobraź sobie, że jestem blisko, że dotykam ostrożnie, najpierw dłonią, a potem ustami Twoje bąbelki, które powoli zamieniają się w wielkie gorące bąble. Teraz kolej na penisa. Biorę go w usta i całuję bez końca, bez oddechu i oto finał, a ja nie przestaję, jestem szalona i jeszcze mocniej ściskam, kładę go między moje ślicznotki, które wyszarpnąłeś ze stanika, i czuję, jaki jest nabrzmiały, jeszcze trochę i gorący deszcz ścieka po moim ciele.

To było piękne, dziękuję Ci, kochany. Mam nadzieję, że Cię wystarczająco rozczuliłam. Całuję Cię mocno i czekam

Marylka

P.S. Przyślij mi parę swoich włosków, włożę je pod poduszkę. Może wtedy będę miała erotyczne sny z Tobą. Bo jak dotąd nic mi nie wychodzi. Czasem tylko śni mi się mój mąż. Goni mnie wtedy po jakichś schodach, a ja uciekam ile sił w nogach. I wtedy zwykle się budzę.

P.S. P.S. Napisz mi też, w jakim kolorze lubisz mnie najbardziej. Jak będę następnym razem w Peweksie, to popatrzę, czy jest jakiś ładny sweterek w Twoim ulubionym kolorze. To będzie taki elegancki prezent dla Ciebie.

Mój drogi!

Ciekawa jestem, co było Twoim pierwszym eleganckim zakupem w Peweksie. Czy była to butelka jakiegoś dobrego alkoholu, na przykład brandy za półtora dolara albo droższego „whiskacza"? A może biały flakonik wody toaletowej Old Spice, który dla mnie długo był najcudowniejszym męskim zapachem? W każdym razie do czasu, gdy mój wujek, któremu ofiarowałam go na urodziny, zawołał, odpakowawszy elegancki pakiecik: „O, stara picza, bardzo lubię ten zapach". Od tego wydarzenia miałam już mniej serca do wody toaletowej Old Spice.

Moim pierwszym eleganckim zakupem w Peweksie był puder prasowany marki Max Factor za dolara. Pachniał cudownie i był jakościowo o wiele lepszy niż wszystkie obecnie używane przeze mnie kosmetyki. Tak mi się przynajmniej wydawało. W naszej maturalnej klasie było wiele dziewcząt, które były obeznane z kosmetykami w peweksie. Mnie nie bardzo było na nie stać. Zresztą nie byłam nimi specjalnie zainteresowana. Kiedy wreszcie, nie chcąc uchodzić za gorszą, kupiłam sobie ciemnozielone pudełeczko prasowanego pudru, przez pierwsze dni nie mogłam się powstrzymać, by na każdej przerwie między lekcjami nie pudrować sobie twarzy w szkolnej toalecie. Czułam się piękna jak Elisabeth Taylor albo inna wielka hollywoodzka gwiazda. I może zresztą tak było...

„I tak martwimy się wszyscy razem o siebie”

Nadawca: **koleżanka Renata, miejsce nadania nieznane**
Adresat: **Jorgos Panos, miejsce odbioru nieznane**

2 września 1981

Drogi Jorgos!

Korzystam z okazji i podaję Ci mój list przez K.

Dziękuję Ci bardzo za kartkę z wakacji. Nam też przydałoby się gdzieś wyjechać, ale w tym roku nic z tego już nie będzie.

Sytuacja w kraju robi się coraz mniej pewna i z zaopatrzeniem jest coraz gorzej. Niby miało być lepiej, ale tak nie jest. Najgorsze są kolejki; od czasu wprowadzenia kartek jest coraz gorzej. Trzeba stać wiele godzin przed sklepem, żeby zdobyć jakiś ochłap mięsa. Podobno milicjanci i górnicy dostają na kartki dwa razy tyle, co inni dorośli.

Dobrze chociaż, że moja teściowa nam pomaga. Ona należy do „uprzywilejowanych”, bo jest inwalidką 2-giej grupy i dzięki temu może stać w krótszej kolejce. Bo kolejki są zwykle dwie, a czasem i trzy. Dla zwykłych śmiertelników – najdłuższa, dla inwalidów i brzuchatych kobiet nieco krótsza, a najkrótsza dla inwalidów wojennych i wojskowych. Ci niby są obsługiwani poza kolejnością, ale że jest ich sporo, też muszą swoje odstać. Tyle że krócej.

Sprzedawczynie obsługują pięć osób z kolejki zwykłej i jedną z uprzywilejowanej. I tak na przemian. Ale i tak wybuchają od czasu do czasu straszne awantury w sklepach... Ludzie, i to często starsi, schorowani, wyzywają się od najgorszych, a czasem nawet biją. Gdyby nie mamcia, nie wiem, jak poradziłabym sobie z tym wszystkim. Sam wiesz, jak chorowita jest Ania.

Niedawno obniżono normy kartkowe na mięso i jego przetwory. Proszek do prania jest też już tylko na kartki. Brakuje właściwie wszystkiego, nie tylko żywności, ale też mydła, zapałek, papierosów. Mam czasem serdecznie dość tego wszystkiego. Lubię sobie zapalić, ale coraz częściej myślę o tym, żeby rzucić palenie. I to jest chyba jedyny plus tej konsumenckiej nędzy. Bo trudno przecież przestać jeść.

Była u mnie kuzynka z Łodzi i mówiła, że w Łodzi była niedawno (chyba na początku sierpnia, ale nie wiem dokładnie kiedy) zorganizowana „czarna procesja". To był wielki protest matek z powodu braku żywności. Podobno 100 tysięcy kobiet szło z dziećmi na wózkach przez ulice miasta w marszu głodujących. A wszystkie ubrane na czarno, jak w kondukcie pogrzebowym. Dobrze chociaż, że nie było żadnych incydentów. Nigdy nie wiadomo, jak może się rozwinąć taka sytuacja.

Przecież na ostatnim Zjeździe Partii postanowili, że trzeba bronić socjalizmu za wszelka cenę. Jak widzę tych delegatów i słyszę ich przemówienia, robi mi się niedobrze. Ile jeszcze czasu będziemy musieli słuchać tych bzdur drętwo czytanych pod czerwonymi sztandarami z popiersiem Lenina. W jakim kraju oni żyją, w jakim czasie? Tak jakby nic się w tym kraju nie zmieniło. Jakby ciągle nie było Solidarności i naszego papieża, który przecież czuwa nad nami i nie pozwoli nam zginąć. Tak przynajmniej pocieszam się i ja, i moja teściowa.

W naszym mieście też nie jest spokojnie. Co i raz jakiś zakład strajkuje. Już wszyscy są trochę zmęczeni tymi strajkami, a najbardziej moja teściowa. Nie chce oglądać dziennika ani czytać gazet, tak się tym wszystkim martwi.

Najbardziej martwi się oczywiście o swojego Tomka, który wyjechał miesiąc temu. Ale lepiej, że wyjechał, niżby miał być teraz w Polsce. Sam wiesz, jaki on jest w gorącej wodzie kąpany. I ja też się o niego martwię, jak on tam sobie poradzi. Tomek też na pewno martwi się o nas i tak martwimy się wszyscy razem o siebie. Dobrze chociaż, że Ania jest wesołym i beztroskim dzieckiem i nie martwi się o nic. No może tylko o to, czy będzie miała ładna sukienkę na komunię. Komunia już jest zaplanowana, a ja mam nadzieję, że Tomek wróci do tego czasu do Polski.

Na tym kończę, pozdrawiam Cię serdecznie
Twoja koleżanka Renata

„Byle dalej”

NADAWCA: Anna Piotrowska, miejsce nadania nieznane
ADRESAT: Jorgos Panos, Ateny, Grecja

Drogi Jorgosie!

Podaję Ci ten list przez mojego dobrego znajomego. Dzięki temu nie muszę się bać, pisząc o sytuacji w kraju.

Piszę krótko: jest źle, a nawet bardzo. Strajkują największe zakłady przemysłowe. Wszystko zaczęło się na Wybrzeżu. Zastrajkowały stocznie. Później dołączyły się inne zakłady: stocznia w Szczecinie, Ursus w Warszawie, huty, Cegielski, zakłady chemiczne w Policach. Do tego dołączyły się inne zakłady, które strajkują solidarnościowo. Międzyzakładowy Komitet Strajkowy liczy kilkaset zakładów i przedsiębiorstw. A może nawet kilka tysięcy, nikt nie wie dokładnie.

A gazety jak kłamały, tak kłamią. Trudno mi to wszystko opisać, ale sytuacja jest napięta i nikt nie wie, jak to się skończy. Podobno Rosjanie tylko czekają na jakieś alibi, żeby wjechać do Polski na czołgach. Tak jak to już kiedyś zrobili w Budapeszcie i Pradze.

Po naradzie z mężem zdecydowaliśmy, że nie chcemy już dłużej tu mieszkać. To przykre, że muszę tak napisać, ale to prawda. Jesteśmy jeszcze dostatecznie młodzi, żeby zacząć życie gdzie indziej. Bóg nie dał nam dzieci, ale dzięki temu łatwiej nam było podjąć decyzję.

Zrobimy wszystko, żeby wyjechać z Polski. Sprzedamy mieszkanie i wszystko, co mamy. Moi rodzice obiecali pomóc nam, jeśli będzie to konieczne. Naszym największym marzeniem jest wyjechać do Stanów Zjednoczonych, ale tam ciężko jest dostać papiery na pobyt. Będziemy więc próbowali dostać się do Kanady albo Australii.

Nawet Afryka Południowa wchodzi w rachubę, chociaż nie przepadamy za „czarnuchami". Ale wszystko lepsze niż nasz „ukochany kraj, umiłowany kraj". W Afryce Południowej mamy kontakt ze znajomymi z Polski, którzy mieszkają tam od niedawna. Od nich wiemy, że nie jest tam źle. Czarni i tak siedzą zamknięci w swoich dzielnicach slumsów, a biali rządzą krajem.

Jednak najpierw będziemy próbowali dostać się do Francji, a stamtąd jedziemy dalej. Może nie będzie nam lekko, ale poradzimy sobie. Nie boimy się pracy i mamy trochę odłożonych pieniędzy. Nie będziemy bezczynnie czekać na Ruskich albo wojnę domową. Wyjedziemy stąd byle dalej.

Pozdrawiamy serdecznie
Anna Piotrowska

Mój drogi!

Nie mogę odpowiedzieć ci na Twoje pytanie. Nie wiem, ilu ludzi wyjechało w tym okresie z Polski. Ale wiem, że z moich znajomych wyjechało wielu. Piotr ze swoją żoną i dwiema maleńkimi córkami, Adam, Krzysztof z żoną w ciąży, Ania, Barbara i jej siostra, i wielu, wielu innych. Większości nie udało się zostać w Europie. Musieli jechać dalej, do Kanady i Australii, bo w Europie ciężko było dostać pozwolenie na pobyt.

Piotr ze swoją żoną i dwiema maleńkimi córkami opowiadał mi później, kiedy już spotkaliśmy się po latach, jak wyglądały początki ich życia w Kanadzie. Po kilku latach tułaczki po krajach zachodniej Europy udało im się wyjechać do Kanady, gdzie przez pierwsze tygodnie byli gośćmi jakichś dalekich znajomych. Ich pierwsza praca polegała na patroszeniu ryb w dużej fabryce żywności, gdzie pracowali na zmiany. Po kilku tygodniach udało im się wynająć mieszkanie dla siebie.

Ponieważ nie mieli nic ze sprzętów, zaczęli od kupna najbardziej ważnych przedmiotów. Kupili materace, pościel, dwa krzesła, patelnię, talerz, widelec i nóż. Tak wyposażeni siedzieli szczęśliwi w kuchni, czekając na naleśniki, które żona Piotra smażyła dla wszystkich. Jedli je po kolei, posługując się tym samym talerzem, nożem i widelcem. Śmiechu było przy tym wiele, bo starsza córka nie życzyła sobie jeść „po kimś". Za każdym razem myła starannie talerz, widelec i nóż, wycierała je i dopiero wtedy nakładała sobie naleśnik.

„Ostrożnie popsikałam się perfumami"

NADAWCA: **Beata, Paryż, Francja**
ADRESAT: **Jorgos Panos, Wrocław, Polska**

Paryż, 29 września 1981

Drogi mój Jorgosie!

W Paryżu już zaczęła się jesień, bo przez ostatnie dni cały czas padał deszcz. Już myślałam, że dopadła mnie jesienna chandra i tęsknota za Polską, ale kiedy dostałam twój list – od razu wszystko pojaśniało. Zaliczam Ci to na plus!

Tak jak obiecałam, piszę ponownie po bardzo krótkiej, dwudniowej przerwie. Właściwie ciągle jeszcze nie mogę dojść do siebie po przeczytaniu listu od Ciebie. Jak Ty potrafisz pisać... Nie mogę się uspokoić i cały czas myślę tylko o Tobie.

Tak bardzo chciałabym, żebyś mógł mnie teraz przytulić. A później pocałować, dotknąć moich piersi, które natychmiast stają się olbrzymie, gdy o tym myślę. Chodź, kochajmy się tu, w tym łóżku, które dopiero co posłałam. To mały hotel, więc i łóżko nie jest duże, ale to nam nie przeszkadza. Będziemy leżeć na pościeli, a nie pod nią, bo nie chcę się chować przed Tobą. Chcę, żebyś na mnie patrzył, jak będziesz mnie rozbierać. Najpierw ten durny fartuszek pokojówki poleci w kąt pokoju, później ściągniesz mi stanik i będziesz gryzł delikatnie moje piersi. Dobrze, że wygoliłam sobie pachy, mogę więc przeciągać się i pokazywać wszystko. Nawet nie wiem kiedy, ściągnąłeś mi majtki, jestem taka gorąca. Nie musisz rozwierać mi nóg, zrobię to sama. Wejdziesz we mnie jak młody grecki bóg, którego kocham. Wiesz, że tego słowa bałam się zawsze, ale to prawda. To słowo-tajemnica i ja tej tajemnicy mogę teraz posmakować.

Kocham Cię, Jorgos, i od teraz nie będę się tego słowa nigdy więcej bała. Piszę ten list w pracy, siedząc sama w jednym z hotelowych pokojów. Zrobiłam wszystko, co do mnie należy, w błyskawicznym tempie, cały czas myśląc o kochaniu się z Tobą. Pachnę też ślicznie chanelem numer pięć, bo ostrożnie popsikałam się perfumami, które stoją w łazience hotelowego pokoju. Nie mogłam się powstrzymać, jak je zobaczyłam. Nawet się zdziwiłam, że w takim zwykłym hotelu są goście, co mają na to pieniądze. No, ale może oszczędzają na hotelu właśnie po to, żeby móc kupić sobie takie drogie perfumy... nie wiem.

Nie znam właściwie żadnych dobrych perfum, tylko Chanel i Dior. Podobno wytworne kobiety najchętniej używają właśnie tych perfum. No to powiedz mi, Jorgos, czy ja nie mogę choćby na chwilę, dla Ciebie, poczuć się wytworna jak jakaś bogata elegantka? Nigdy nie mogłam sobie pozwolić na takie drogie perfumy. Popsikałam się pod pachami, ale też między piersiami, a nawet pod fartuszkiem. Nikt nie pozna, bo użyłam ich niewiele.

Wiem, że lubisz mocne, drogie perfumy, sam mi mówiłeś. „Słodkie jak miłość na ciepłej plaży". Zapamiętałam to sobie dobrze. Nie wiem, czy Chanel numer pięć pachnie jak miłość na ciepłej plaży, ale myślę, że tak.

W Polsce nigdy nie było mnie stać na przyzwoite perfumy. Czasami dostawałam dezodorant rexona na imieniny, a mama miała zwykle ruskie „duchy" z przemytu na toaletce, ale Chanel... Nie wiem nawet, czy takie drogie perfumy można w ogóle kupić w sklepach „za dolary". No bo przecież nie w zwykłych sklepach. Tam są co najwyżej perfumy „Być może". Albo inne polskie produkty pachnące.

Jak Ci już pisałam, praca w tym hotelu jest tylko czasowa i to wielka szkoda. Właścicielka jest już stara i nie gania nas do roboty za bardzo. Jak na Francuzkę jest bardzo przyzwoita, traktuje nas jak ludzi, a nie niewolnice egipskie. Jestem tu na zastępstwie jeszcze przez miesiąc, dobre i to. Później będę musiała poszukać czegoś innego. Właściwie to odłożyłam trochę pieniędzy i mogłabym – jak mi się ta praca tutaj skończy – odsapnąć trochę. Zajęłabym się głównie językiem, który mi dość kiepsko idzie. Wiecznie mi coś wypada i na kurs chodzę ostatnio maksymalnie w kratkę.

Wakacji nie miałam od dawna. Już nie pamiętam, kiedy byczyłam się ostatni raz na słońcu. Zanim tu przyjechałam, myślałam zawsze, że jak już będę we Francji, to będą tam na mnie czekały perły i szampany. Ale żadnych pereł ani szampanów tu nie ma, tylko ścierki do kurzu i szmaty do podłogi. Czasami się zastanawiam, po co ja właściwie tak pracuję. Przecież na dobrą sprawę nie mam żadnego konkretnego celu. Ta myśl mnie dobija, więc kiedy mnie nachodzi, szybko myślę o czymś innym. Najlepiej o jakimś innym problemie. Na przykład o tym, że muszę dziś jeszcze przez jakieś dwie godziny udawać, że coś robię. Właściwie to powinnam być z tego zadowolona, bo miałam już kiedyś inne doświadczenia jako pokojówka, ale tak nie jest.

Nuda jest maksymalnie nudna, kiedy jest się w pracy. W domu to co innego, tam zawsze można w najgorszym razie włączyć telewizję. Ale w hotelu? Nawet nie ma się gdzie schować, bo nie ma tutaj schowka na brudną bieliznę. A ile można udawać, że się pracuje? Pokoje już posprzątałam, ale nie chcę, żeby było widać, że już jestem gotowa.

Często myślę o tym, co się dzieje w Polsce. Wszędzie są podobno jakieś strajki, marsze i protesty. W sklepach nie ma nic, tylko musztarda albo ocet. To mnie maksymalnie dobija. Nie chcę jednak, żeby ten list był smutny.

Wolę sobie wyobrażać, że jesteś teraz przy mnie. Jakie to cudowne uczucie. Nie odchodź jeszcze, zróbmy to jeszcze raz i jeszcze raz… Przyglądam się sobie w lustrze. Nie jestem specjalnie ładna, ale przy Tobie czuję się piękna. Nawet kiedy czytam list od Ciebie – ładnieję!

Jestem Ci maksymalnie wdzięczna za Twój list i czekam na więcej

Twoja Beata

Mój drogi!

Nie wiem, czy wiesz, że i ja pracowałam kiedyś w hotelu jako pokojówka. Nie w Paryżu, ale w innym wielkim europejskim mieście. Hotel był piękny, pięciogwiazdkowy, a noc w nim kosztowała połowę mojej pensji. Pokojówki pracowały bardzo ciężko, nawet na zjedzenie kanapki nigdy nie starczało mi czasu. A o tym, żeby mieć parę wolnych godzin w trakcie pracy, mogłam tylko pomarzyć. Codziennie musiałam się solidnie nabiegać, żeby zdążyć z posprzątaniem swoich pokojów.

Przynajmniej na początku, wtedy, kiedy jeszcze myślałam, że „czysto" oznacza naprawdę czysto. Później zrozumiałam, że chodzi o to, żeby pokoje wyglądały na czyste, a to jest zupełnie coś innego. Tym bardziej że ilość pokojów do sprzątnięcia w ciągu dnia była imponująca. Szybko nauczyłam się, na czym polega sprzątanie pokoju tak, by wyglądał on na czysty. Wystarczyło zebrać większe paprochy z podłogi (odkurzanie trwa o wiele za długo), przetrzeć umywalkę używanym ręcznikiem, psiknąć dezodorantem i założyć papierowy kołnierz na toaletę – „odkażone i wymyte".

Łóżka pozostawały problemem, bo hotel był elegancki i było wykluczone, żeby kolejni goście spali w używanej pościeli. Tak przynajmniej myślałam na początku. Później okazało się, że i tu było więcej miejsca na kreatywne działanie.

Najlepszymi gośćmi byli Japończycy, bo brudzili najmniej. Ich pokoje były czyściutkie, wanny szorowane przed i po kąpieli. Najzabawniejsze były rozwieszone pod sufitem sznurki do suszenia bielizny. Suszyły się tam kalesony, zwykle bawełniane kalesony z troczkami. Ponoć - dowiedziałam się o tym już dużo później – Japończycy zawsze albo prawie zawsze zakładają je pod spodnie i codziennie robią małe przepierki. W domu, w hotelu pięciogwiazdkowym, nie gra roli gdzie...

To – ponoć – bardzo czysty naród. Japończycy nawet do wanny wchodzą czyści. Człowiek nie może przecież leżeć w ciepłej wodzie jakiegoś brudasa, nawet jeśli jest nim on sam. Co za ohyda! Na samą myśl o tym każdemu normalnego Japończykowi robi się niedobrze. Najpierw wyszoruj się, bracie, szczotką, najlepiej ryżową, wypłucz parokrotnie, a dopiero potem właź do wanny. Inaczej się nie da. Japończycy używają też przed i za sobą dezodorantów. Nikt cywilizowany nie może przecież pozwolić sobie na śmierdzenie, co za pomysł. Są dezodoranty pokojowe, łazienkowe, do ciała. Oprócz tego diory i chanele leją się obficie, co należy do rytuałów codziennych. Rozumiem to i popieram. Mnie także dokuczały smrody przepoconych ciał w łódzkich tramwajach. Fuj i jeszcze raz fuj. Ale spróbuj wytłumaczyć to prządkom, tkaczkom, barwiarkom z łódzkich fabryk. Nie rozumieją i tyle, szkoda słów.

„Nie wprowadzono kartek na posuwanie”

NADAWCA: przyjaciel Maciej, Wrocław, Polska
ADRESAT: Jorgos Panos, Ateny, Grecja

Wrocław, 25 listopada 1981

Jorgos, stary przyjacielu i kutasie!

Piszę krótko i treściwie, żebyś wiedział, co się w tym naszym kraju nadwiślańskim dzieje. Bo co wy tam, w tym niby wolnym świcie, wicie. Wicie, rozumicie...

Po pierwsze primo miało być lepiej, a jest gorzej. Nie ma nic, a to, co jest, jest na kartki. Już nie tylko żywność (czytaj ochłapy, kilkakrotnie mrożone ryby, stare kasze i tym podobne specjały), ale też mydło i proszek do prania. Chodzę więc nieco przykurzony, ale mojej kobiecie – na szczęście – to nie przeszkadza. Nawet wręcz przeciwnie, bierze mnie takiego chętniej i jakby częściej niż dawniej.

Po drugie primo: nie wprowadzono kartek na posuwanie. I to jest dobra wiadomość. Póki co więc, stary chuju, możesz śmiało wracać do Polszy, bo reglamentacji w tym temacie nasz rząd nie przewiduje. Przynajmniej na razie, bo przecież z nimi nigdy nic nie wiadomo. A sam wiesz, że takich słodkich dupci jak w Polsce nie ma nigdzie. Czy to prawda, że Greczynki są wszędzie mocno owłosione i muszą golić się dwa razy dziennie? Słyszałem o tym od pewnego znajomego „znawcy przedmiotu”...

Po trzecie primo benzyna podrożała i to mocno. To z kolei spowoduje podwyżkę cen wszystkiego, a co najgorsze, także cen alkoholu. Na kartki nadal można dostać tylko pół litra wódki, ale jak – podały niedawno gazety – jak se zbierzesz człowieku 15 pustych butelek po wyrobach spirytusowych i oddasz je do (wybranych!) sklepów WSS, to sobie możesz człowieku kupić jeszcze pół litra poza kartkami. W Peweksie można póki co kupować alkohol bez ograniczeń i to jest dobre.

Po czwarte primo udało mi się ostatnio kupić piwo. Kolejka była spora, ale opłaciło mi się to stanie. Za piwo razem z butelką do zwrotu zapłaciłem 5 złotych, a za butelkę zwracali – 7,50. Od razu sobie wyliczyłem, że to dobry interes, i chciałem kupić więcej, ale dawali tylko po jednej butelce na głowę. Dobre i to, pomyślałem i w doborowym towarzystwie wypiłem piwko przed sklepem, a w nagrodę dostałem jeszcze 2,50 za zwrot butelki. To ja Ciebie pytam, Jorgos, gdzie Ci będzie lepiej niż w Polsce? Żyć nie umierać.

Po piąte primo dolar kosztuje prawie 500 złociszy, więc – jeśli już będziesz wracał – to zadbaj o jaki solidny worek po brzeg wypchany „zielonymi". Kończę mój krótki list, wkrótce napiszę więcej. Ściskam Ci prawicę i czekam wiadomości. Z patriotycznym i chrześcijańskim pozdrowieniem

Twój przyjaciel Maciej

„Kim Ty właściwie jesteś?”

NADAWCA: **Zuzanna, Legnica, Polska**
ADRESAT: **Jorgos Panos, Ateny, Grecja**

Legnica, 30 listopada 1981

Kochaniutki Jorgos!

Przede wszystkim dziękuję Ci za pamięć, chociaż, nie myśl sobie, kochaniutki, że już o Tobie zapomniałam. Chciałabym napisać Ci o trzęsieniu ziemi, które tu, w Polsce, przeżywamy, ale nie mam odwagi. Napiszę więc o pogodzie. O rany, o pogodzie będę pisać? Tak, bo odważniejsza jestem na wprost, w rozmowie, chociaż i tego nie jestem całkiem pewna.

Pogoda jest przyjemna i to jest niezwykle miłe. Bo poza tym to nędza, dom i wieczne na coś czekanie. Ostatnio to czekam na Twoje listy i tak się zastanawiam, kochaniutki, kim Ty właściwie jesteś? Przecież ja Cię tak naprawdę wcale nie znam. Czasami myślę sobie, że jesteś wielkie dziecko, a czasami, że oszust, taki kochaniutki, ale jednak oszust.

Czasem nie mogę się doczekać listu od Ciebie, a czasem nie chcę Cię znać. Nie mam pojęcia, co jest przyczyną tych niesamowitych spostrzeżeń, w każdym razie jednego jestem pewna... Nie, jednak nie napiszę Ci o tym. Czytałam gdzieś, że mężczyźni lubią być trzymani w niepewności, dlatego.

Zresztą i tak już za dużo napisałam. I od razu kończę ten list, bo mogę się zdenerwować i go podrzeć.

Ściskam Cię i nie wiem, czy mój list dojdzie, ale jeśli nie, to trudno

Zuzanna

P.S. Pamiętasz, jak pokazywałeś mi Obłoki Magellana na niebie? Ich wcale nie można zobaczyć gołym okiem!

„Wskoczę do studni albo umrę na pripioszkę”

NADAWCA: **Halusia, Wrocław, Polska**
ADRESAT: **Jorgos Panos, miejsce odbioru nieznane**

Kochany, mój najprzystojniejszy na świecie Mężczyzno!

(Mam nadzieję, że ten list zostanie Ci szybko przekazany, tak jak mi obiecano).

Nie masz pojęcia, jak bardzo za Tobą tęsknię. Na pewno tysiąc razy bardziej niż Ty, ale cóż, jestem kobietą, a kobiety kochają inaczej. Czekam na każdy Twój telefon, na każdy Twój list. Podczas każdej imprezy stawiam Twoje duże zdjęcie na stole, tak żebyś i Ty mógł być z nami. Rozmawiam z Tobą, śmieję się razem z Tobą. Cóż, to jednak nie to samo.

Kiedy Ty wreszcie będziesz ze mną? Zadaję sobie to pytanie po tysiąc razy dziennie. Perspektywa tak długiego czekania deprymuje mnie. Pisałam Ci o tym w moim poprzednim liście, tym, który zabrał dla Ciebie M. Przypomnij sobie, o co Cię prosiłam, przynajmniej jedną rzecz w życiu trzeba wiedzieć na pewno. Myślę, że będzie łatwiej i Tobie, i mnie, jeśli ułożymy sobie jakiś realny plan i wyznaczymy jakiś rozsądny termin (choćby nie bardzo bliski) naszego wspólnego już odtąd życia.

Mając świadomość jasno postawionych spraw chętnie będę czekała i kochała Cię na odległość. Nawet gdyby miało to trwać odrobinę dłużej niż długo. Lecz by się nad tym wszystkim zastanowić, trzeba się najpierw spotkać. Dlatego właśnie wolałabym, żebyś przyjechał jeszcze tej wiosny. Najlepiej byłoby na Wielkanoc. No, ale oczywiście decyzja należy do Ciebie, Jorgosku. Gdyby zależało to ode mnie, już dawno byłbyś tutaj.

Mój kochany, najlepszy na świecie Kokosku (pamiętasz, jak zawsze nazywałam Cię Jorgoskiem Kokoskiem?), mam taką prośbę, żebyś tę listę rzeczy, którą Ci dałam, wyrzucił natychmiast. Jeżeli nasza wspólna uroczystość (wiesz, o czym mówię, ale wolę nie wymawiać słowa „ślub") rzeczywiście kiedyś się odbędzie, to mama zaopatrzy mnie we wszystko. Zawsze zbierała dla mnie ręczniki i pościel i ścierki do kuchni. Jest też dla mnie odłożony komplet sztućców i garnków i dywan, który czeka w piwnicy. Tych przedmiotów nie będziemy więc musieli kupować, a długiego welonu wcale nie muszę mieć, wystarczy mi krótki. Albo wcale. Zapomnij więc, że Cię o niego prosiłam.

Najważniejsze jest dla mnie to, żeby ta uroczystość się odbyła w takim składzie, jaki sobie zaplanowaliśmy. Czyli Ty i ja. Czy tak się stanie, jak sobie wymarzyłam, zależy tylko od Ciebie; moją odpowiedź znasz, brzmi – tak! Ale ponieważ nasza wspólna i absolutnie niewymuszona (podkreślam jeszcze raz – niewymuszona) decyzja w sprawie ślubu jest jeszcze sprawą przyszłości, o konkretnych zakupach na razie nie ma co myśleć. Wybacz, że staram się dowiedzieć, jak Ty to widzisz, ale sam rozumiesz, Kochany, że ja też muszę wiedzieć, jakie masz plany ze mną. Nawet moja mama stwierdziła, że już czas na jakieś poważne decyzje. Tak długo jesteśmy przecież razem, tyle nas ze sobą wiąże.

Kokosku mój kochany, kończę, bo głodna jestem okrutnie. Nawet kozaków nie zdążyłam jeszcze zdjąć, tak chciałam usiąść do pisania tego listu. Chcę jeszcze, żebyś wiedział, że usycham z tęsknoty za Tobą, że bardzo Cię kocham.

Mam nadzieję, że na Wielkanoc będziemy razem. Naprawdę mam nadzieję, że przyjedziesz. A jeśli nie przyjedziesz, to ja pójdę Cię szukać po świecie, jak w tej bajce. Siedem gór przejdę w żelaznych bucikach, siedem rzek przepłynę, a Cię znajdę.

Wiem, że to perfidne, co teraz robię, ale piszę Ci czarno na białym, jak mnie kochasz, to przyjedziesz. Jeśli tak się nie stanie, to ja chybaa wskoczę do studni albo umrę na pripioszkę, chorobę zbyt długo czekających kobiet. I wtedy będziesz miał do końca życia wyrzuty sumienia. I słusznie, ale przecież tego nie chcesz, prawda? Teraz jeszcze długo i namiętnie Cię całuję

Twoja Halusia

„Ryba szuka, gdzie głębiej, człowiek żyje, gdzie mu lepiej"

NADAWCA: **Halusia, Wrocław, Polska**
ADRESAT: **Jorgos Panos, miejsce odbioru nieznane**

Kochany, piszę krótko, tylko parę słów. Niełatwo mi było, ale wreszcie podjęłam decyzję po wielu przemyśliwaniach. Nie była ona łatwa i wielokrotnie zmieniałam ją, ale teraz już wiem, że jest słuszna i będę ją realizować.

Już od tak dawna czekam na Ciebie i to czekanie stało się powoli nie do zniesienia. Rozumiem jednak, że Twój powrót do Polski jest, przynajmniej na razie, trudny, a może całkiem niemożliwy. Rozumiem to i rozumiem, że to jest powodem tej sytuacji. Jednak już nie mogę dłużej czekać i mam nadzieję, że dzięki temu szybciej będziemy razem. Musimy być razem, mój kochany, bo to jest dla mnie teraz jedyna rzecz, która się liczy. Oczywiście wiele jest innych spraw w moim życiu, które są ważne, i to właśnie było powodem moich rozterek: wyjechać czy zostać? Założyć żelazne trzewiki i z kosturem w ręku szukać Ciebie za siedmioma górami i siedmioma rzekami czy pozostać tu, gdzie mam przytulny kąt i ciepło moich rodziców.

Zawsze wiedziałam, że moi rodzice są dla mnie kotwicą w życiu i będą mnie – mimo wszystko – wspierać we wszystkich moich decyzjach. Tak było, kiedy zdecydowałam się studiować na Akademii Sztuk Pięknych, a nie na Akademii Medycznej. Sam wiesz, że moja rodzina jest już od paru pokoleń związana z medycyną i mój wybór nie był dla rodziców łatwy do zaakceptowania. Ale jednak zaakceptowali go, a przynajmniej udawali, że go akceptują. Dzięki temu poznałam zresztą Ciebie.

Kocham moich rodziców i boję się, że podjęłam decyzję, która ich będzie przez długi czas bolała. Ale nie mam innego wyjścia, bo muszę iść za głosem uczucia. Wszystkie inne sprawy, dyplom, sytuacja w Polsce, tak teraz uciążliwa, nie są istotne. Sam wiesz, że moi rodzice zawsze mieli spore możliwości finansowe i znajomości, więc myślę, że i teraz pomogą mi zrealizować moje plany. Mama bardzo płakała, kiedy jej powiedziałam o swojej decyzji.

Długo w noc siedzieli we dwójkę z ojcem i rozmawiali przy zamkniętych drzwiach. Wiem, bo kiedy się obudziłam, widziałam zapalone światło w pokoju i przyciszone głosy. Weszłam do nich, a wtedy mama objęła mnie zapłakana i zapytała „Halusiu, czy ty wiesz na pewno, że chcesz wyjechać, czy wiesz na pewno?" Rozpłakałam się strasznie i tak siedziałyśmy we dwie na łóżku obejmując się i płacząc, a ona kołysała mnie w swoich ramionach, jak wtedy gdy byłam małą dziewczynką. Pocieszałam ją, jak mogłam, że tylu ludzi wyjeżdża, że będziemy się spotykać, że dzięki temu zobaczymy kawałek świata. Ale mówiąc to, wcale w to nie wierzyłam i najchętniej dałabym temu wszystkiemu spokój.

Żal mi było tych moich biednych rodziców, jestem przecież jedynaczką. Ale co zrobić, kochany, co zrobić... Mój ojciec powiedział na koniec, zanim wróciliśmy do łóżek:

„No cóż, ryba szuka, gdzie głębiej, człowiek żyje tam, gdzie mu lepiej".

A mnie jest lepiej z Tobą, wszystko inne jest tylko dodatkiem w moim życiu.

Ty jesteś dla mnie daniem głównym, bez którego człowiek chodzi głodny i nie zapełni żołądka niczym innym. Zresztą jestem pewna, że jak tylko się zobaczymy, wszystkie problemy przestaną istnieć. Reszta nie ma już znaczenia.

Więc czekaj na mnie, czekaj, kochany mój Gosku, już niedługo będziemy razem.

Twoja Halusia

„Będziemy musieli odsłużyć z karabinem albo pałą w ręku"

Nadawca: przyjaciel Maciej, miejsce nadania nieznane
ADRESAT: Jorgos Panos, miejsce odbioru nieznane

Wrocław, 21 grudnia 1981

Jorgos, przyjacielu!

Korzystam z okazji i podaję Ci tę kartkę przez Z. Nie wiem, kiedy ją dostaniesz, granice są ponoć zamknięte, ale Z. mówił, że jego statek jest pod grecką banderą, więc powinien dostać pozwolenie na opuszczenie Polski.

Masz wielkie szczęście, Jorgos, że jesteś poza granicami naszej Socjalistycznej Ojczyzny. W nocy z 12 na 13 grudnia wprowadzono stan wojenny w Polsce. Nasz generał w ciemnych okularach odczytał w telewizji przemówienie o „uniknięciu bratobójczej walki". Ale wszyscy i tak wiedzą, o co chodzi.

Telefony nie działają, a poczta jest cenzurowana. Uważaj więc, co i do kogo piszesz. Wprowadzono też godzinę policyjną i zamknięto szkoły i uniwersytety. Podobno aresztowano wszystkich działaczy opozycji. Może już zresztą wywieźli ich w kibitkach do Sowietów, kto to wie?

Wszędzie pełno policji. Chodzą, węszą, oglądają papiery i często chcą łapówek. Najgorsi są ci z ZOMO. Nasz kolega Tomek, ten, co grafikę studiował, opowiadał, jak parę dni temu zomowcy legitymowali go wieczorem, niedługo przed godziną policyjna. Od razu chcieli łapówkę. Że niby – jak nie, to rozmowa pewnikiem potrwa dłużej. Na ten przykład do godziny policyjnej, a wtedy to już żaden boże nie pomoże i będą musieli go zamknąć. To co miał zrobić? Dał im więc chłopina

Chopina. Chopin to 5 tysięcy złotych, równowartość cirka jebaut 13 dolarów. A przecież to kupa pieniędzy. A ile flakonów można by za nie kupić w Peweksie... Tomek nie miał nic innego przy sobie, jakieś drobne moniaki, no i ten banknot. Bardzo ładny, świeżutko pachnący farbą drukarską, jeszcze nawet formalnie nie wprowadzony do obiegu. Dostał go po znajomości od jednego znajomego. Zomowcy oglądali banknot uważnie, z niedowierzaniem, czy jest prawdziwy. W końcu jednak uznali, że chyba tak, bo pieniądze zostały schowane w kieszeni munduru, a Tomek został odprowadzony przez zomowców aż pod sam dom. Na wszelki wypadek, tak, żeby jakiś inny patrol nie przyczepił się do niego.

Nie wiem, ile to potrwa, ale powiem Ci, stary, nie ma do czego wracać. Zostań tam, gdzie jesteś, bo już gorzej chyba być nie może. (Choć optymista we mnie szepcze: oj, może, może). Grozi nam to, że nas wezmą do woja i będziemy musieli odsłużyć parę lat z karabinem albo pałą w ręku.

Trzymaj się, Stary Grecki Zbóju
Twój przyjaciel Maciej

Mój drogi!

Dzień, w którym ogłoszono stan wojenny, zaczął się dla mnie szczęśliwym trafem. Moim pierwszym uczuciem po wysłuchaniu przemówienia generała, było przerażenie, że mam jeszcze tylko litr albo dwa benzyny w samochodzie. Przed ogłoszeniem stanu wojennego nagminnie brakowało paliwa, a kolejki przed stacjami benzynowymi były kilometrowe. Oczekiwanie godzinami na dostawę i możliwość zatankowania samochodu nie należało do moich ulubionych zajęć. Po ogłoszeniu stanu wojennego mogło być tylko gorzej, pomyślałam, i wbrew radom mamy, która zza firanki wyglądała ruskich, wyruszyłam na poszukiwanie paliwa. Moja tablica rejestracyjna z nieparzystymi numerami uprawniała mnie do tankowania w dni nieparzyste. Na szczęście stan wojenny ogłoszono 13 grudnia, a nie dzień później, mogłam więc spróbować dostać benzynę.

Najbliższa stacja benzynowa była zamknięta. Zręcznie wyminęłam stojące przed nią czołgi i pojechałam dalej. Lekko spocona, czy to ze strachu, czy z powodu źle działającego grzejnika w samochodzie, dotarłam do następnej. Tam zobaczyłam niewielką kolejkę samochodów, które w szybkim tempie tankowały paliwo. Przy każdym dystrybutorze stał pracownik i nie odkładając pistoletu, nalewał benzynę raz z lewej, raz z prawej strony. Inny pracownik stacji sprawnie inkasował pieniądze. Przy dwóch lub trzech dystrybutorach tempo obsługiwania było takie, że w kolejce nie warto było nawet gasić silnika. Po kilkunastu minutach czekania, przyjemnie zaskoczona efektywnością sprzedaży, zatankowałam zbiornik do pełna i odjechałam radosna jak bazie na olszy w kwietniowy dzień.

Później było już mniej radośnie, a nawet całkiem ponuro, ale o tym opowiem Ci innym razem. Benzyna oszczędnie używana starczyła mi później na wiele miesięcy.

„Wszystko świeci, błyszczy, przyciąga”

NADAWCA: Halusia, Amsterdam, Holandia
ADRESAT: Jorgos Panos, miejsce odbioru nieznane

Amsterdam, 22 grudnia 1981

Jorgos, mój kochany!

Przepraszam Cię, że tak długo kazałam Ci czekać na wiadomość. Nie mogłam jakoś zabrać się do pisania listu. Sytuacja w Polsce przygnębia mnie tak, że nie mam na nic ochoty. Najgorsze jest to, że w ogóle nie mam kontaktu z rodzicami. Nie ma łączności z Polską, więc nie mam jak do nich zadzwonić. Poczta jest niepewna, listy chodzą, jak chcą, i są cenzurowane.

Niedługo Boże Narodzenie i ja myślałam, że spędzimy je razem. Już nawet kupiłam Ci upominek pod choinkę, album z reprodukcjami Van Gogha, którego tak kochasz. Pamiętasz, jak mi mówiłeś, że kiedyś obejrzymy sobie razem jego obrazy w Amsterdamie? Ja je już widziałam, są mniej piękne, niż myślałam. Ale może dlatego, że oglądałam je sama, przez łzy. Sama, sama, to słowo kołacze mi się w głowie jak powracająca melodia, od której nie mogę się odczepić. Zostałam wprawdzie zaproszona przez przyjaciół na obiad w pierwszy dzień świąt, więc pewnie się do nich wybiorę, ale to nie to samo.

O Wigilii wolę na razie nie myśleć. Tak zawsze kochałam ten wieczór pełen magii i ciepła. To podniecające szykowanie, strojenie, siadanie do stołu i łamanie się opłatkiem. Wiem, że Wy, Grecy, obchodzicie bardziej uroczyście Wielkanoc, ale boję się, że teraz to już ani Bożego Narodzenia, ani Wielkanocy nie będziemy razem obchodzić.

Gdzie jesteś, Gosku, gdzie Cię szukać? Tak bardzo potrzebuję listu od Ciebie. Boję się, że o mnie zapomniałeś. Pisz do mnie, Twoje listy odnajdą mnie zawsze, nawet jeśli zmienię adres, bo moi przyjaciele przekażą mi korespondencję.

Powoli, bardzo powoli przyzwyczajam się do mojego życia w Holandii. Szkoda tylko, że niepewność jutra zżera mi nerwy. Pozostanie w Holandii na stałe jest niemożliwe. Szkoda, szkoda, szkoda. Byłabym wówczas bliżej Polski i moich rodziców. Może uda mi się załatwić wizę emigracyjną do Kanady albo Australii. Wolałabym jechać do Stanów, ale to nie będzie łatwe. Nie tracę jednak nadziei, wcześniej czy później na pewno coś uda mi się załatwić.

Widziałam tu w TV „Człowieka z żelaza". Byłam zachwycona. Niestety większość Holendrów nie była w stanie nadążać za napisami (my szybko gadamy), a tym samym za akcją. Poza tym „polski problem" jest tak skomplikowany, że trudno zrozumieć to wszystko nam samym, a cóż dopiero zamożnym i wolnym Holendrom.

Wszyscy zajmują się tutaj jednak Polską. Gazety są pełne informacji o niej, w telewizji Wajda i reportaże o głodującej ludności. Tutejsi obywatele mają poczucie winy, że im jest tak dobrze. Robią akcje, zrzutki i zbiórki, masowo wysyłają kontenery z podarkami dla Polski i przechowują w swoich domach stada nielegalnych Sarmatów. W szkołach dzieci przynoszą własne oszczędności, by pomoc Polakom, tak jak my zbieraliśmy kiedyś na Kambodżę albo Wietnam.

Nastrój przedświąteczny czuć tu już prawie od miesiąca, bo oni (tubylcy) dają sobie prezenty na Mikołaja. Szał wykupywania wszystkiego trwa jednak aż do świąt Bożego Narodzenia. Pierwszy raz przeżywam okres przedświąteczny za granicą. To wielka przyjemność spacerować tutaj po mieście, oglądać te wszystkie wystawy przepełnione bogactwem pomysłów i wykonania. Nie ma tu choinek ze styropianu i bombek na nitkach. Nie ma szaroburych pakunków udających prezenty. Nie ma smutnych ludzi snujących się w grudniowej szarówce po błocie. Wszystko świeci, błyszczy, przyciąga.

Ulice są oświetlone lampkami, sklepy ciepłe i pełne muzyki. No i do tego wszędzie ten falujący podniecony tłum ludzi. Tylko Ciebie tu nie ma...

Jorgosku, niedługo Święta. Tak bym chciała osobiście złożyć Ci życzenia i przytulić się do Ciebie. Tak bardzo pragnę, żebyś myślał o mnie. Śniłeś mi się dzisiaj milutko. Śmialiśmy się, chodziliśmy po ulicach Wrocławia, a Ty przytulałeś mnie do siebie. W pewnym momencie wyciągnąłeś z kieszeni malutką kolorową paczuszkę. Dajesz mi, a ja niecierpliwie zaczęłam ją odpakowywać. Śmiałeś się widząc, że nie idzie mi to łatwo, bo sznurek, którym była obwiązana, był mocno zasupłany. Kiedy wreszcie udało mi się i zaczęłam rozwijać papier i już, już miałam zobaczyć, co jest w środku – obudziłam się.

Nie dowiem się już nigdy, co zawierała paczuszka od Ciebie i jakim obdarzyłeś mnie prezentem. może był to pierścionek z niebieskim oczkiem, może dwa bilety lotnicze do jakiegoś dalekiego kraju, a może tylko ładny kamyk znaleziony na plaży w Grecji? Tego nie dowiem się już nigdy, bo sen minął szybko. Wiem jednak, że obudziłam się szczęśliwa, bo znowu byliśmy razem.

Odezwij się, kochany Gosku, odezwij się do swojej Halusi.

Nie mam od Ciebie wiadomości i niepokoi mnie to wszystko. Nawet nie wiem, na jaki adres wysłać mój list. Całuję Cię

Twoja świąteczno-holenderska Halusia

P.S. Czy wiesz, kochany, że Holendrzy wykrzykują wesoło „chuj", kiedy się witają? To podobno taki mniej więcej zwrot jak nasze „cześć". Język holenderski jest bardzo trudny, więc dodatkowym plusem emigracji do Kanady albo Australii jest to, że nie trzeba się uczyć jakiegoś okropnie skomplikowanego języka. Mój angielski nie jest może doskonały, ale Twoja Halusia radzi sobie dzielnie. By, by darling!

„Kto powiedział, że Paryż jest takim pięknym miastem?”

NADAWCA: **Beata, Paryż, Francja**
ADRESAT: **Jorgos Panos, Wrocław, Polska**

Paryż, 15 stycznia 1982

Drogi mój Jorgosie!

Minęły święta Bożego Narodzenia, później był sylwester, mamy już nowy rok, a ja ciągle nie mam od Ciebie żadnej wiadomości i nawet nie wiem, gdzie jesteś i czy moje listy dochodzą do Ciebie. Trzeba maksymalnie uważać, to pewne.

Cieszę się, że już styczeń i święta już minęły. Nigdy nie lubiłam tego świątecznego okresu, bo zawsze było z tym tyle roboty. Nie lubię gotować, a te nasze polskie święta to właściwie jedno wielkie obżarstwo. Najpierw kupowanie, później gotowanie i szykowanie, a na koniec żarcie i znowu sprzątanie. No i jedzenie resztek przez cały tydzień po świętach. Więc byłam zadowolona, że tu w Paryżu nie ma tego obowiązku.

Sylwestra spędziłam dość ponuro z moimi znajomymi. Atmosfera wcale nie była radosna, bo wszyscy tylko gadali o polityce i o sytuacji w Polsce. Już mi to uszami wychodzi to międlenie wszystkiego w te i wewte, przecież to nie ma sensu. Nikt nie wie, jaka przyszłość nas czeka, czy tu, czy w Polsce. Ludzie zawsze jakoś żyli, nawet wtedy, gdy było naprawdę ciężko, więc nie ma co bawić się w patrzenie w przyszłość. Ale może łatwo mi jest mówić, bo ja nie lubię polityki.

Nie chciałam słuchać tego gadania, więc poszłam do kuchni i tam siedziałam sama, aż gospodyni przyszła i mi nagadała, że jak nie chcę się z nimi bawić na sylwestra, to po co przychodziłam. No przyszłam, bo myślałam, że będziemy się bawić – odpowiedziałam – a tu tylko takie sranie w banie. A ona na to się obraziła, ale już było po północy, więc poszłam do domu i płakać maksymalnie mi się chciało.

Takie to smutne, że ja czekam, czekam, denerwuję się i nie wiem, co się z Tobą dzieje. Bardzo proszę, odezwij się, żebym chociaż wiedziała, gdzie jesteś. Chyba nie chcesz, żebym się wyczerpała nerwowo, bo momentami wydaje mi się, że jestem na skraju. Jedyną moją obroną jest nie myśleć, ale ile można nie myśleć? Przecież wiem, że dyplomu nie masz teraz jak kończyć. Najważniejsze, żebym wiedziała, co się z Tobą dzieje.

Jeśli chodzi o moją tutaj egzystencję, nie mam prawa się skarżyć. Zaliczam to sobie na plus, bo inni mają gorzej. Tyle że ta niepewność jutra jest taka wyczerpująca. Cały czas muszę się poruszać maksymalnie ostrożnie, bo inaczej wszystko się zawali. Mam nadzieję, że domyślasz się, o co mi chodzi.

Chodzę po szarych, deszczowych ulicach i jestem taka przygnębiona. Kto powiedział, że Paryż jest takim pięknym miastem? To nieprawda!

Całuję Cię milion razy
Twoja Beata

„Musiałam te szczotki przytrzymywać ręką"

NADAWCA: **Marylka, Gdynia, Polska**
ADRESAT: **Jorgos Panos, Wrocław, Polska**

Kochany mój grecki skarbusiu!

Piszę do Ciebie, ale tak naprawdę nie wiem, czy mój list zastanie Cię w Polsce. Wiem, że miałeś plany wyjazdowe, być może udało Ci się wyjechać przed tym, jak ogłoszono stan wojenny, być może nie i jesteś jeszcze we Wrocławiu. Tęsknię za Tobą i Twoim kochanym peniskiem i mam nadzieję, że szybko się zobaczymy.

Powoli czuję się jak wysuszona śliwka, czekam na mojego męża i czekam na Ciebie i już sama czasem nie wiem, na kogo czekam bardziej. To chyba jest jakaś paranoja, że ja, niebrzydka przecież dziewczyna, ciągle na kogoś czekam.

Ale widocznie taki już jest mój los.

Trzeba sobie było nie brać marynarza za męża, mówi mi moja mama, chciałaś, to masz. Chciałaś, chciałaś, wcale nie chciałam. Mój mąż zarabia bardzo ładnie, jak jedzie w morze, prezenty, co je przywozi, też są niezłe, ale to czekanie na niego jest okropne. Najgorsze jest, że nie wiem, jak to będzie dalej i kiedy on przyjedzie.

Podobno granice zamknięte i pewnie dolarów nie ma jak przysyłać. Na razie jeszcze mam na życie, ale co będzie, jak to dłużej potrwa? A zresztą co się będę naprzód martwić. Najwyżej pójdę do pracy, najlepiej w sklepie mięsnym albo, jeszcze lepiej, monopolowym. Mniej tam śmierdzi, ludzie w kolejkach grzeczniejsi, nie biją się jak w mięsnym. Sprzedawczynie to tam mają życie jak w Madrycie, zawsze znajdą możliwości, żeby chachmęcić z kartkami. Przecież flaszka z wódką zawsze się może niechcący zbić, prawda?

Gorzej, że kochania tak mało. Jak mój mąż wraca z morza, to jest nam dobrze razem. Pieszczenia się i kochania końca nie ma. Robimy to w łóżku, ale też w kuchni i na stole, i na podłodze. Ostatnio to nawet zaciągnął mnie do schowka na szczotki i tam mnie brał z przodu i z tyłu. Trochę ciasno było i musiałam te wszystkie szczotki przytrzymywać ręką, żeby na nas nie spadały, ale warto było. Człowiek inaczej patrzy na świat, jak wyjdzie z takiego schowka na szczotki. A teraz to nawet nie wiem, kiedy on przyjedzie.

I nie wiem też, kiedy my się zobaczymy, bo nic nie piszesz.

Dobrze chociaż, że mam jeszcze trochę dolarów, to mogę sobie kupić czasami jakiś ciuch albo kosmetyk w pewexie na pociechę. Wczoraj kupiłam sobie nowy sweterek w serek, bardzo ładny obcisły w lilaróż kolorze. To wycięcie w serek też mi się podoba, bo jak założę taki specjalny stanik, co mi piersi unosi, to widać je wtedy ładnie przez to wycięcie.

A sam wiesz, że jest na co popatrzeć, rozmiarek mam i tyle. Mój mąż zawsze mi mówił, że nie ma to jak duża blondyna z dużymi (tu robił pauzę) oczami. Oczywiście miał na myśli moje cycuszki. Nie bez powodu w szkole chłopaki nazywali mnie „cycatka". Nie wiem właściwie, dlaczego mężczyźni tak za mną przepadają, jak tylko wyjdę na ulicę, to zaraz mam jakieś przygody. A to ten mnie zaczepi, a to tamten. A ja tylko nie i nie.

Mężatka przecież jestem, a jeszcze mam na dokładkę mojego kochanego greckiego skarbusia, to po co mi jakieś inne meny. Tyle że myślałam, że jak zostanę mężatką, to kochania będę miała w bród, a tak wcale nie jest. Plaża po tym względem, cicha plaża i tyle, przynajmniej na razie. A ja mimo to wcale się nie szlajam po ulicach w poszukiwaniu zastępstwa. Mąż przecież niedługo powinien przyjechać, myślę sobie. Pieniądze też się przecież powoli kończą, a nie chcę pożyczać, bo co by sobie ludzie wtedy pomyśleli. Mąż w morzu na kontrakcie, zarabia w dolarach, a żona pieniądze pożyczać musi. Nie mogę mu tego zrobić! Ale już mu napisałam, że pora zajrzeć do domu. Kota pogłaskać, żonkę pokochać, trzosik napełnić. I znowu można sobie wtedy wyjeżdżać w morze, daleko, daleko.

Na razie jednak męża ani śladu, a co gorsza, Ty też jesteś daleko, nie odzywasz się do mnie już od tygodni, więc i tu plaża i złomowisko.

Niby mam dwóch mężczyzn, ale i tak rękę sama na siebie podnosić muszę. No to ja się Ciebie pytam, która normalna kobieta to długo wytrzyma?

Kończę już na dziś, bo umówiłam się w kawiarni na kawę z jednym moim znajomym, co obiecał mi znaleźć dobrego hydraulika. No, bo co mam zrobić, jak mi w łazience leci?

Wszystko muszę robić teraz sama, nawet te rury mam na głowie. A przecież kobiecie samej niełatwo, zwłaszcza teraz.

Na koniec przyciskam Cię do moich ślicznotek – jak Ty to mówisz – i wkładam sobie Twojego penisa między nie. Poruszam moim gorącymi ślicznotkami tak długo, aż Twój penis od tego gorąca zacznie wariować z uciechy.

Marylka

Zapomniałam Cię prosić, żebyś moje listy od razu wyrzucał, albo jeszcze lepiej spalił. Nigdy nie wiadomo, kto je może przeczytać. Nie mówiąc już o tym, że nie daj Boże, jakby mój mąż je zobaczył. To już bym miała u niego przesrane. A jak moje listy są czytane przez cenzora, to nie mam z tym problemu, niech mu będzie...

„Był niebywały nadmiar szampana”

NADAWCA: Anna Molenstein, Berlin, Niemiecka Republika Federalna
ADRESAT: Jorgos Panos, Wrocław, Polska

Berlin, 1 marca 1982

Cześć Jorgos!

Dawno się nie widzieliśmy i tak się stęskniłam, że postanowiłam napisać. Jak się czujesz i co robisz, jestem bardzo ciekawa. Czy Twój dyplom jest już gotowy? Napisz mi wszystko.

U nas (mam na myśli siebie i Piotra, bo nadal jesteśmy razem) wszystko dobrze. Bez większych problemów dostaliśmy obywatelstwo i teraz legitymujemy się bundesspassem. Dobrze, że mój ojciec tego nie doczekał. On nienawidził Niemców. Za to, co nam zrobili w czasie wojny – jak mówił.

Pracuję bardzo intensywnie. Maluję dużo i robię różne rzeczy z modeliny – lalki, martwe natury, no i oczywiście broszki. Życie artystów plastyków w Niemczech wcale nie jest łatwiejsze niż w Polsce. Chałturzymy więc oboje z Piotrem, żeby zarobić na chleb. Jednak nie narzekam. Wkrótce będziemy mieli wystawę w Berlinie. Galeria, w której będziemy wystawiać nasze prace, jest dość znana. Piotr pokaże grafiki, a ja martwą naturę. Wyślę Ci zaproszenie, kto wie, może przyjedziesz na wernisaż.

Jeździmy z Piotrem po Europie. W wakacje zimowe byliśmy w Austrii. Sylwestra spędziliśmy u naszych polskich znajomych w Wiedniu. Było bardzo przyjemnie, ale trochę nudno. Wypiliśmy kieliszek wina, zjedliśmy po dwa albo trzy koreczki serka, pogadaliśmy na temat sytuacji w Polsce. O dwunastej gospodarze otworzyli butelkę musującego wina i złożyliśmy sobie życzenia. Krótko po tym pożegnaliśmy się. Trudno nawet powiedzieć, że dobrze się bawiliśmy.

Pamiętasz naszego wspólnego sylwestra dwa lata temu? Miałam wtedy na sobie welurową bluzkę i czarną mini spódniczkę. Mówiłeś, że wyglądam bardzo ładnie i seksownie. Bawiliśmy się do białego rana; był niebywały nadmiar szampana. Już nie pamiętam, komu udało się go dostać. Tańczyliśmy wszyscy bardzo dużo, z wyjątkiem niektórych wypitych panów. Oni już nie panowali nad sobą. Za to Ty tańczyłeś ze mną prawie cały czas. Teraz wydaje mi się, że byłam wtedy taka młoda. A przecież to było tylko dwa lata temu. Byliśmy wtedy tacy radośni i naiwni, myśląc o swojej przyszłości. Może emigracja tak człowieka postarza?

Po sylwestrze u tych znajomych w Wiedniu pojechaliśmy jeszcze zwiedzić inne miasta i miasteczka austriackie. Wszystkie piękne, wypucowane, jak z obrazka.

Cieszę się, że mogłam zwiedzić Austrię, ale nie chciałabym w niej mieszkać. Jest taka sztuczna, plastikowa. Mam wrażenie, że wszędzie czuję dezodoranty. Z przyjemnością wróciłam do Berlina. Lubię tu mieszkać.

W moim bloku większość mieszkańców to Jugosłowianie. Czasem im zazdroszczę, że mieszkają wszyscy razem „na kupie". Przynajmniej mają weselej.

W Berlinie zima, ale nie taka jak w Polsce. Więcej tu błota niż śniegu. Mamy jeszcze ferie zimowe i być może wyruszymy do Włoch.

Jeśli będziesz kiedyś w Berlinie, to zapraszam. Mieszkamy w samym centrum i mamy duży balkon. Będziesz się mógł opalać!

Pozdrowienia dla Ciebie i znajomych
Anna Molenstein

P.S. Czekam na szybką odpowiedź.

„Z bogatymi to nigdy nic nie wiadomo"

NADAWCA: **Beata, Paryż, Francja**
ADRESAT: **Jorgos Panos, Wrocław, Polska**

Paryż, 17 marca 1982

Drogi Jorgosie!

Wysyłam mój list na Twój adres w Polsce, chociaż nie wiem, gdzie jesteś.

Już pamięć mnie zawodzi, który to list bez odpowiedzi. Wiem, że poczta nie funkcjonuje teraz normalnie, ale gdybyś chciał, na pewno udałoby Ci się przesłać mi jakąś wiadomość. Myślałam, że może coś się z Tobą stało, czasy teraz takie niepewne. Albo że może Twoje listy nie docierają do mnie. Jednak od innych wiem, listy, chociaż cenzurowane, to jednak dochodzą do adresatów. Więc jeśli jesteś po prostu w Polsce, to wielkie świństwo, że do mnie nie piszesz. A jeśli już wyjechałeś do Grecji, to i stamtąd mogłeś napisać choćby parę słów.

Ostatnio nie poznaję samej siebie. Wydawało mi się, że jestem odporna i twarda. Niestety w praktyce to się zupełnie nie sprawdza. Znowu bardzo dużo myślę o Tobie. Już od dwóch miesięcy nie mam żadnego z Tobą kontaktu. Nic mi się nie chce. Moi znajomi (Polacy oczywiście) zaprosili mnie ostatnio do siebie na kolację. Wieczór zaczął się miło, ale skończył się moim płaczem. Płakałam maksymalnie i nie mogłam się uspokoić. Nie wiem, co mnie tak nastroiło. Może ten stan wojenny w Polsce, może muzyka Chopina, którą pani domu włączyła w którymś momencie. Może samotność, którą czuję już od tygodni. Może po prostu wypiłam za dużo wina prawie nic nie jedząc.

Moja egzystencja tutaj jest coraz lepsza. Mam propozycje coraz lepiej płatnych zajęć, choć to ciągle tylko sprzątanie. Ostatnio pracowałam nawet przez dwa miesiące w bardzo dobrym hotelu w centrum Paryża. W tym hotelu są takie apartamenty, które są wynajmowane na cały rok przez bardzo bogate Amerykanki albo co gorsza, Żydówki. One przyjeżdżają do Paryża tylko raz albo dwa razy do roku, jak jest wyprzedaż w sklepach. Tak mi mówiła jedna pokojówka, co pracuje na stałe w tym hotelu.

Te stare, bogate wiedźmy biorą też ze sobą swój personel i do wszystkiego mają osobnych ludzi. Do sprzątania, do podawania jedzenia i nawet do spuszczania wody w kibelku. Nie wiem, czy to prawda, no bo jak można robić siku albo z przeproszeniem kupę i czekać, aż ktoś inny przyjdzie i spuści w tym smrodzie wodę? Jednak z bogatymi to nigdy nic nie wiadomo, to inny rodzaj ludzi. Tak mi mówiła ta pokojówka, która ich zna.

Byłam maksymalnie ciekawa, jak wygląda taka bogaczka, albo chociaż jej apartament, ale nie miałam ku temu okazji. Zwykłe pokojówki nie mają tam wstępu. To wyższy segment sprzątania. Ja tylko normalne pokoje mogłam robić i to jeszcze za niewielkie pieniądze. Dobrze chociaż, że czasami znajdowałam pod poduszką jakieś drobne napiwki. Czasem tylko parę groszy, jednak dobre i to, bo wtedy czujesz, że ktoś pomyślał o takiej zwykłej pokojówce jak ja.

A raz to dostałam naprawdę spory napiwek. Skończyłam właśnie sprzątanie pokoju (był maksymalnie brudny, a w wannie to chyba ktoś mył się z gnoju, taka była brudna) i wyszłam z niego ciągnąc wózek z bielizną pościelową i ręcznikami, gdy natknęłam się w drzwiach na tego gościa, co w tym pokoju mieszkał. Odsunęłam się, żeby go przepuścić, a wtedy on zapytał mnie, skąd jestem. No, z jakiego kraju, powtórzył swoje pytanie. Odpowiedziałam więc, że z Polski, la Pologne. Ten facet wyglądał normalnie, ale dał mi 50 franków.

Zdziwiłam się, ale wzięłam oczywiście i grzecznie podziękowałam. Może miał wyrzuty sumienia, że tak zgnoił swoją łazienkę, bo i ręczniki były bardzo brudne. Albo może siedział całą noc w kasynie i wygrał tam sporo pieniędzy. No, ale wtedy – skąpiradło jedne – powinien mi dać więcej niż te marne 50 franków, nie uważasz?

Mieszkam też już lepiej. Mieszkanie mam troszeczkę większe niż ta klitka na szóstym piętrze bez okna, gdzie mieszkałam najpierw. Nawet myślałam, że to nowe mieszkanie będzie dość duże dla nas dwojga, jak do mnie przyjedziesz. Plus jest też taki, że mam teraz normalny kibelek, a nie to dziwaczne francuskie wuce. Mam na myśli tę dziurę, nad którą trzeba wisieć, żeby się załatwić. To dobre dla akrobatów i fakirów, a nie normalnych ludzi. Cieszę się też, że z okna mieszkania widać drzewa, to chyba kasztany. Minus jest taki, że znajduje się ono daleko od centrum. Nie narzekam jednak. Nawet lubię te jazdy metrem z rana. Gorzej jest wieczorem, bo nie lubię wracać po ciemku. Poza tym często jestem bardzo zmęczona. Ostatnio mam też kłopoty ze zdrowiem. Kiedy sikam, strasznie mnie boli. Mam nadzieję, że to tylko „przewianie", a nie piasek albo kamienie w nerkach. A do tego boli mnie też żołądek, jak coś zjem, i już właściwie wcale mi się nie chce jeść. Dobre jest to, że od tego schudłam i to ładnych parę kilo. Nigdy nie byłam specjalnie gruba, ale wiem, że nie lubisz grubasek, więc zaliczam to sobie na plus.

Moje formalne sprawy są w toku. Martwię się o sytuację w Polsce, no i oczywiście o moją samotną mamę. Gdybyż udało mi się chociaż na jakiś czas osiągnąć spokój psychiczny, byłabym w stanie zrobić o wiele więcej niż teraz. Może nawet wrócić na studia... albo chociaż zapisać się na kurs języka. Radzę sobie z francuskim już całkiem nieźle i byłbyś ze mnie dumny, że wszystko rozumiem, co do mnie mówią.

Szkoda tylko, że powoli przestaję wierzyć, że do mnie przyjedziesz. Boję się, że po prostu nie masz odwagi o tym napisać. Mimo czasu, jaki upłynął od naszego ostatniego spotkania, ciągle myślę o Tobie.

Wiem jednak, że życie nie zawsze daje nam to, czego pragniemy. Pewnie zakotwiczyłeś się już gdzie indziej, może już na dobre. Moja intuicja mówi mi, że limit oczekiwań został wyczerpany.

Na tym kończę i całuję Cię jak zwykle
Twoja Beata

P.S. Napisz mi, jaką datę nosi mój ostatni list, może one rzeczywiście nie dochodzą.

„Tamten był rudy, wesoły i młody, a ten jest czarny, stary i leniwy"

NADAWCA: **Halusia, Toronto, Kanada**
ADRESAT: **Jorgos Panos, Wrocław, Polska**

Toronto, 2 kwietnia 1982

Jorgosiku mój kochany!

Już wiem, dlaczego nie piszesz. Dziś dostałam list od W., z którego dowiedziałam się o strasznej tragedii, jaka dotknęła Twoją rodzinę i Ciebie.

Jakie to straszne, że Twój Tato odszedł tak znienacka. Przecież nigdy właściwie nie chorował. To Twoja mama często narzekała na zdrowie, On – nigdy. Jorgosiku kochany, jestem zszokowana i tulę Cię serdecznie do mojego serca. Poczuj, proszę, że jestem i zawsze będę przy Tobie w trudnych chwilach. Nie wiem, jak sobie teraz radzicie... martwię się, jak się czuje Twoja mama i czy ona będzie teraz w stanie wyjechać.

Śmierć Twojego Taty przyszła zupełnie nie w porę. Twoi rodzice tyle lat czekali na możliwość powrotu do Grecji. Przecież oni zawsze pozostali sercem w Grecji i zawsze chcieli tam wrócić. To naprawdę straszne, co się stało. Proszę, trzymaj się dzielnie, przecież musisz teraz reprezentować rodzinę i zarabiać. Twój Tato na pewno patrzy z góry i chciałby być dumny z Ciebie. Nie możesz go zawieść i wiem, że go nie zawiedziesz.

Całuję Cię bardzo mocno, przykro mi, że nie mogę teraz być przy Tobie. Pamiętaj, że byłam, jestem i będę z Tobą na dobre i złe. Nawet jeśli w rzeczywistości nie jesteśmy razem, jestem z Tobą myślami. Napisz, proszę, parę słów. Czy jesteś już po dyplomie? Jak Ci poszło? Napisz mi o wszystkim. Przede wszystkim chciałabym wiedzieć, kiedy wyjeżdżacie do Grecji? A może już wyjechaliście, a ja piszę do pustego mieszkania. Być może Twoja skrzynka pocztowa nigdy już nie zostanie przez Ciebie otworzona, bo jesteś gdzieś daleko. Gdzie? Napisz mi, kochany Jorgosiku, gdzie jesteście teraz?

Ucałuj swoją mamę ode mnie serdecznie. Bardzo mi jej szkoda. Całe życie miała smutne, ciężkie i ciągle musiała czekać. A to na papiery, a to na wizę, a to na pozwolenie. Często o niej myślę. Jakże smutne jest to, że Twoja mama została teraz sama. Oczywiście ma Ciebie i Twojego brata i małego Mikisa, ale przecież to nie to samo. Twoi rodzice przez tyle lat byli razem, marzyli o powrocie do Grecji. I teraz, kiedy te marzenia wreszcie mogłyby zostać zrealizowane – została sama. Mój Boże, jakie to smutne.

Teraz napiszę Ci kilka słów o sobie. Ciężko mi przyzwyczaić się do Kanady. Tu nie ma przyjaciół takich jak w Polsce. Nikt ci tu nie pomoże tak jak u nas, każdy dba o siebie. Przysięgłam sobie, że nigdy się zmienię, że pozostanę taka, jaka jestem teraz. Nie chcę stracić najpiękniejszych wartości jakie człowiek (Polka, Polak) może posiadać – życzliwość, zainteresowanie innym człowiekiem i dobroć.

Parę tygodni temu poznałam tutaj D. To rozwodnik, ale dobry i przyzwoity człowiek. Nie wiem jeszcze, czy coś z tego będzie. Na pewno nie to, co nas kiedyś łączyło. Życie jest jednak takie, jakie jest i ma swoje prawa. Nie chcę być sama.

Mieszkam w małym mieszkanku z ogrodem. Pomalowałam je całe na biało, jest mi tu dobrze i przytulnie. Niedaleko jest rzeka i piękne lasy, czuję się jak na wakacjach. Mam też kotka. Nie takiego, jakiego miałam w Polsce. Tamten był rudy, wesoły i młody, a ten jest czarny, stary i leniwy. (Jak widzisz, nawet koty są tutaj inne). Ale znalazł mnie sam i pozostał ze mną, mam do kogo się odezwać i za to jestem mu wdzięczna.

Tak jak Ci pisałam, mam jeszcze trochę zaoszczędzonych pieniędzy. Od czasu do czasu trafia mi się też jakaś praca graficzna. Radzę sobie zupełnie nieźle i myślę, że będzie coraz lepiej. I tak na pewno będzie, bo w Kanadzie żyje się ludziom dobrze. Oni nie wiedzą, co to jest stan wojenny i kartki na żywność i benzynę. Nie znają pustych sklepów i kolejek po wszystko, po żywność i po majtki i po papier toaletowy. Ale też nie znają Ciebie i może dlatego Kanada wydaje mi się taka pusta.

Ściskam Cię na koniec bardzo bardzo serdecznie
Twoja, ciągle jeszcze Twoja Halusia

Mój drogi!

Nie wiem, czy byłeś jeszcze w Polsce, kiedy wprowadzono kartki. Najpierw były to tylko kartki na cukier. Nikt nie spodziewał się wtedy, że już po kilku latach kartki będą także na mięso, masło, kaszę, słodycze dla dzieci, proszek do prania, buty, obrączki ślubne, papierosy i wódkę. Krótko mówiąc, na prawie wszystkie artykuły spożywcze i sporo przemysłowych. Niedługo później wprowadzono nawet kartki na kartki. Na tych „kartach zaopatrzenia" odnotowywano, kiedy i jakie kartki zostały pobrane. Administracja taka może Ci się teraz wydać śmieszna, ale wielu ludzi twierdziło wówczas, że to jedyna możliwość regulowania rynku. Że wszystko lepsze niż kompletny chaos i puste półki w sklepach. Jednak ani chaosu, ani galopującej inflacji, ani braków w zaopatrzeniu nie udało się za pomocą kartek uniknąć.

Bez pomocy z zagranicy żyło się ciężko; sąsiadki bardzo zazdrościły mojej mamie, że ma córkę, która wyjechała do jednego z krajów zachodniej Europy. A ja, tak jak inni, robiłam, co mogłam, wysyłając paczki, śląc pieniądze i przyjeżdżając do Polski na święta Bożego Narodzenia. Nie byłam zresztą jedyna.

Tuż przed Wigilią korki przed granicą były gigantyczne, dziesięcio-, piętnastokilometrowe, stało się w nich całą noc, często na mrozie. Samochody osobowe i ciężarowe tworzyły jedną kolejkę, solidarnie. Kiedy wreszcie dojeżdżało się do granicy, wiele zależało od celników, którzy często przyczepiali się ilości przywożonych towarów. Bagażniki samochodów załadowane były, nie tylko w moim samochodzie, głównie artykułami spożywczymi: serem, herbatą, kawą, puszkami i suchą kiełbasą. A także proszkami do prania, mydłem, butami, odzieżą. Czasem ten i ów wiózł na dachu lodówkę albo opony samochodowe. Albo wózek i kojec dla dzieci. Brakowało bowiem wszystkiego.

Moi rodzice nie mieli specjalnych wymagań, poza jednym: prosili mnie zawsze o przywiezienie masła orzechowego. Twierdzili, że jest doskonałe na reumatyzm i porost włosów. Moja mama kurowała swój reumatyzm codzienną porcją masła orzechowego z chlebem razowym. Mój ojciec natomiast cierpiał na próżność i zaczynającą się łysinkę. Raz w tygodniu robił z masła orzechowego maseczkę, którą wcierał w przerzedzone już mocno włosy. Kreolki znane są na całym świecie z powodu pięknych, gęstych włosów, które zawdzięczają regularnym maseczkom z masła orzechowego. Tak przynajmniej twierdziło jedno z pism kobiecych, które mój ojciec przypadkiem przeczytał. Od tego czasu masło orzechowe stało się ważnym składnikiem moich paczek do Polski. Jak wiesz, w sklepach poza musztardą i octem nie było nic. Mimo to ilekroć telefonicznie pytałam rodziców, co im przysłać, odpowiadali zgodnie: „Nic nam nie potrzeba, tylko nie zapomnij o maśle orzechowym. I nie przysyłaj żadnych dziwnych mydełek", dodawała moja mama.

Wiele zachodnich artykułów było wówczas w Polsce nieznanych. Dotyczyło to nie tylko żywności, ale i kosmetyków. Mama opowiedziała mi, że kilka z otrzymanych ode mnie mydełek włożyła do szafy między bieliznę. Po tygodniu albo dwóch bielizna zamiast subtelnie pachnieć fiołkami, śmierdziała niemiłosiernie niepranymi od dawna skarpetkami. Eleganckie pudełeczka bowiem wcale nie zawierały subtelnego mydełka, jak myślała, tylko ekskluzywne francuskie serki. Tak, wesołe to były czasy, można się było pośmiać...

„Może wyglądam na głuptaska”

NADAWCA: Ula, miejsce nadania nieznane
ADRESAT: Jorgos Panos, miejsce odbioru nieznane

Cześć Jorgos!

Po długim namyślaniu się postanowiłam jednak do Ciebie napisać, choć myślę, że mi to ciężko pójdzie. Twoje listy są dla mnie niesamowitą nowością. Są to pierwsze listy tego rodzaju, jakie kiedykolwiek dostawałam. Z jednej strony trochę mnie szokują, a z drugiej, jakby to powiedzieć, wzruszają, a może podniecają.

W każdym razie dobrze mi robią, choć to przecież tylko puste słowa.

Jorgos, chciałbyś, żebym była bardziej szczera, żebym o sobie i swoich pragnieniach pisała. Oczywiście, masz na myśli seksualne pragnienia, prawda?

Te sprawy ciężko mi przychodzą, ja miałam już problemy tego rodzaju z mężem. Dopiero po latach małżeństwa on poznał moje seksualne potrzeby, ale to długo trwało. Po jakichś 2-3 latach zaczęło być troszeczkę lepiej, ale to i tak nie była Kamasutra. Ot, zwykły małżeński seks bez zbytnich ceregieli.

Nie umiem pisać o sobie, choć czasami mam potrzebę wygadania się.

A z Twoich listów wynika, że Ty lubisz tego rodzaju dyskusje, połączone z poznawaniem się przy pomocy – jak Ty nazywasz – czujnika.

Tylko zastanawiam się czasami, czy sam czujnik tu wystarczy. Może wyglądam na głuptaska, ale lubię urozmaicenie, czułość i cierpliwość.

Myślę, że powoli przezwyciężę wstyd i zacznę pisać o swoich seksualnych słabostkach, a jest ich sporo. W każdym razie zboczona nie jestem. Po prostu uwielbiam miłość i wszystko, co do niej należy. A to, że jestem mamą, wcale mi nie przeszkadza. Julka skończyła 3 klasę jako najlepsza uczennica, więc mogę z niej być zadowolona.

Aha, lato jest w tym roku takie piękne, że jestem opalona na czekoladkę. Włosy mam długie i chyba dużo temperamentu. Ale może on jest jeszcze ukryty, nie wiem.

Jeśli chodzi o zdjęcie, to trudno mi jakoś pójść sobie do fotografa, rozebrać się i kazać sfotografować. Sam mi zrobisz.

Całuję Cię mocno i coś jeszcze

Ula

„Wskakiwał na mnie i robił swoje”

NADAWCA: Ula, miejsce nadania nieznane
ADRESAT: Jorgos Panos, miejsce odbioru nieznane

Cześć Jorgos!

Jesteś naprawdę kochaniutki i bardzo w porządku. Nie spodziewałam się, że tak szybko odpiszesz po moim długim milczeniu. Dziękuję! Mój drogi, okropnie się mylisz, uważając moje uszko za delikatne. Zdarzyło mi się słyszeć i widzieć gorsze sprośności. Ostatecznie mało kto nie widział filmów porno. Nie jestem może bardzo doświadczona w tych sprawach, ale swoje wiem i umiem.

Muszę Ci, mój kochany, napisać (i może kiedyś udowodnić), że w bardzo żywotny sposób uzewnętrzniam namiętności, które we mnie istnieją. Jak Ci już pisałam, kocham seks i uważam, że w miłości wszystko jest dozwolone, absolutnie wszystko. Tu nie ma nic nienormalnego, pod warunkiem, że oboje partnerzy tego chcą.

Swoimi listami zamieszałeś w moim życiu, które dotąd było takie spokojne. Widzisz, mój drogi, moje życie tak się dziwnie ułożyło, że szybko wyszłam za mąż, szybko urodziłam dziecko, szybko się rozwiodłam. Te lata były pełne emocji, radości, ale też kłótni i bólu. Kiedy zostałam sama z dzieckiem, mogłam wreszcie odpocząć, odetchnąć i nacieszyć się dzieckiem. Nie szukałam kochanka, było nam z Julką dobrze we dwie. Zresztą być może bałam się kolejnego fiaska.

A seks, no cóż, może jestem staromodna, ale nie potrzebuję seksu bez miłości. Nie znalazł się dotąd nikt, kto by mnie wypełniał i to nie tylko spermą. Nie mam pojęcia, jak dalej ułożą się sprawy między nami. Sądząc po Twoich listach mógłbyś być ciekawym partnerem, bo dążysz nie tylko do swojego zaspokojenia. Jesteś inny niż mój ex-mąż i to jest dla mnie ważne. On wskakiwał na mnie, robił swoje i szybko zasypiał. A kiedy żebrałam o cieplejszy gest, stawał się rozdrażniony i zły. Nie było w nim czułości. No może tylko pierwsze miesiące naszej znajomości były inne, ale to się szybko skończyło.

Dlatego pewnie jestem teraz ostrożniejsza i tak jak napisałam – swoje wiem. Czy mój związek z Tobą rozwinie się dalej, nie wiem. Widzieliśmy się tylko parę razy i być może ta pierwsza fascynacja rozwinie się w coś ważnego. Szkoda, że nie mieszkamy blisko siebie, wtedy mielibyśmy większą szansę. A tak pozostaje nam „macać się", jak to nazywasz listownie. Rozpisałam się chyba, ale to nic, jak powiedziałeś, powoli wszystko ze mnie wyciągniesz. Powiem Ci więc sama, że czekam niecierpliwie, kiedy się spotkamy. Pozdrawiam i czekam na Ciebie i Twoje listy

P.S. Napisz, jak poszła Twoja praca magisterska i czy już pracujesz. Czy nadal myślisz o wyjeździe na stałe do Grecji? Na pewno tak, bo teraz wszyscy chcą wyjechać z Polski. I ja też, chociaż nigdy o tym nie myślałam na serio, zaczynam się zastanawiać nad wyjazdem. Przecież każdy chce lepszej przyszłości dla swoich dzieci. A jaka przyszłość czeka moją Julkę tutaj, skoro teraz nawet zeszyty są na kartki?

Ula

„Musiałem celnikom pokazywać fiuta i kaka”

[list pisany po grecku]

NADAWCA: **kuzyn Aris, Ateny, Grecja**
ADRESAT: **Jorgos Panos, Wrocław, Polska**

Ateny, 15 września 1982

Wybacz, że tak długo nie pisałem, ale naprawdę nie było kiedy i gdzie. Po tym jak amnestia dla Greckich uchodźców stała się realna, nasze starania o wyjazd na stałe do Grecji nabrały tempa.

Z Czechosłowacji wyjechaliśmy parę tygodni temu i teraz piszę do Ciebie już z Aten. Papierkowe sprawy ciągną się jednak i ciągną. Najpierw w Czechosłowacji, teraz w Grecji. Najważniejsze sprawy są już w toku i teraz wypada nam czekać na odpowiedź. Obecnie załatwiam nostryfikację dyplomu i to też pochłania mi sporo czasu. Wiem, że nie będzie to łatwa sprawa, ale wcześniej czy później mam nadzieję wrócić do zawodu. To bardzo ważne, bo moi rodzice nie mają pracy. Mój ojciec jest trochę tą sytuacją rozczarowany, bo tak naprawdę jesteśmy – przynajmniej na razie – zdani tylko na pomoc rodziny.

W dniach wolnych od biegania po instytucjach chodzę do pracy ze znajomym elektrykiem. Praca lekka i łatwa, ale pieniądze niewielkie. W ten sposób wypełniam luki, aby nie tracić czasu. Na pracę w moim zawodzie są widoki, ale wpierw muszę uporządkować papierki, aby móc bez przeszkód zająć się tylko tym.

Po drodze do Grecji ojciec po raz pierwszy ojciec opowiedział dość szczegółowo, jak wylądował w Czechosłowacji. Niby coś tam o tym wiedziałem, ale nie wszystko. Kiedy w 1946 roku przywrócono w Grecji monarchię, komuniści utworzyli swoją armię i rok później zaczęła się wojna domowa. Zginął w niej jego starszy brat. Rodzice, siostra i on, wraz z tysiącami innych uchodźców – przekroczyli granicę Albanii, znajdując tam schronienie przed bombami. Z ich rodzinnej wsi uciekli wszyscy. Nie pozostało tam już zresztą nic; domy i dobytek zniszczył ogień. Po prawie dwuletniej tułaczce między Albanią i Rumunią, oddzielony od rodziców i siostry, tato znalazł się pod koniec 1949 roku na lotnisku w Tiranie. Odlatywały stąd samoloty do różnych krajów, które chciały przyjąć uchodźców z Grecji. Nikt nie wybierał sobie miejsca przeznaczenia. Przypadek sprawił, że wraz z innymi dziećmi skierowano go do samolotu Czechosłowackich Linii Lotniczych.

I tak od 1950 roku Czechosłowacja stała się nową ojczyzną mojego ojca. A teraz, po tych wszystkich latach, kiedy już stracił nadzieję na powrót do Grecji, jednak tam wracał.

Nasza podróż do Grecji to była istna Odyseja.

Do granicy czesko-austriackiej dojechaliśmy bez problemów, ale tak jak przewidywaliśmy, celnicy dali nam popalić. Najpierw dobrali się do nas Czesi. Otóż pierwszy raz mi się zdarzyło, że musiałem (i ojciec też) celnikom pokazywać fiuta i kaka. Przyjemność ta ominęła tylko mamę i siostrę Markellę, które dość pobieżnie przeszukano.

Niechby zresztą tę skurwysyny spróbowali dobierać się do Markelli, łapy bym poobrywał.

Później Austriacy zrobili nam mały kipisz, przez co straciliśmy sporo czasu. Podróż przez Austrię przebiegła bez problemów. Na granicy jugosłowiańskiej była ogromna kolejka tubylców wracających do siebie. Odprawiono nas jednak stosunkowo szybko. Nocowaliśmy niedaleko granicy i raniutko obraliśmy drogę do Skopje. Na tym jednak nie koniec, bo za Belgradem powoli zaczęła nam się kończyć benzyna. Zatrzymaliśmy się na pierwszej lepszej stacji, gdzie po chamsku nas poinformowano, że bez talonów gówno dostaniemy.

Przed wyjazdem mówiono nam, że cudzoziemcy otrzymują benzynę bez problemów. Na następnej stacji było to samo i już nam ręce opadły, bo mieliśmy pusty bak, a chamów nijak nie można było przekonać. Straciliśmy masę czasu i gdyby nie jacyś Grecy, którzy odsprzedali nam część swoich bonów, kiblowalibyśmy tam do tej pory.

Późno w nocy dotarliśmy do wuja w Skopje w Jugosławii i tam zostaliśmy dwa dni. Był to prawdziwy odpoczynek duchowy i fizyczny. Czuliśmy się tam jak w domu. No, a później już Grecja przez Saloniki, gdzie zatrzymaliśmy się na krótko (około 2 godzin) u znajomych. Oczywiście były płacze i to jakie. Najbardziej płakała Markella, ale jej to niewiele potrzeba, by ryczeć jak bóbr. Może zresztą żałowała swojego Janiczka, który został w Brnie?

Później pognaliśmy autostradą do Aten, gdzie dotarliśmy późnym wieczorem. Przez pierwszy tydzień mieszkaliśmy u stryja, gdzie przyjęto nas bardzo serdecznie. Jego syn był bardzo zadowolony z samochodu. Teraz już drugi dzień mieszkamy u jego siostry, która odstąpiła nam dwupokojowe mieszkanie, bez zobowiązań, jak na razie. Oczywiście nie jest to nic specjalnego, ale darowanemu koniowi... Udało nam się, ale tfuuuu, żeby nie zapeszyć.

Od momentu złożenia dokumentów o obywatelstwo kazano nam czekać około dwudziestu dni. Dopiero później powiedzą nam, co mamy dalej robić. Jeżeli rodzicom nie odebrano obywatelstwa, to sprawy się potoczą o wiele szybciej. W przeciwnym razie może to trochę potrwać, ale i tak powinno być krócej niż kiedyś. Wszystko to musi być dokładnie sprawdzone, a biurokracja greckich urzędników jest znana nam wszystkim. Dopiero po otrzymaniu zawiadomienia będę Ci mógł coś bardziej konkretnego powiedzieć.

Pogodę mamy teraz piękną, jest ciepło i słonecznie. Wiesz, z czego cieszę się najbardziej? Z morza, które jest niedaleko. Jak tylko pogoda na to pozwoli, będę się kąpał w morzu codziennie. Ostatecznie w Czechosłowacji morza nie było, a tu jest. I to jest dobre!

Kończę moją relację, pozdrawiam Ciebie i Twoją rodzinkę.

Kuzyn Aris

„Znajomych mam tu dużo, przyjaciół mniej”

NADAWCA: **Halusia, Toronto, Kanada**
ADRESAT: **Jorgos Panos, Wrocław, Polska**

Toronto, 25 października 1982

Kochany!

Nadal nie wiem, czy ciągle jesteście w Polsce i czy dostajesz moje listy. Właściwie to nawet nie jest to takie ważne. Dziś mojej opowieści o Kanadzie ciąg dalszy. Mam nadzieję, że poprzednie listy już dostałeś.

Jeziora tutaj są tak ogromne, że nie widać drugiego brzegu i wygląda to jak morze. Woda jest turkusowa, przezroczysta jak w Morzu Śródziemnym, tyle że słodka. Brzegi są piaszczyste, z wydmami, porośnięte sosnowymi lasami. Zupełnie jak północ Polski. Byłam bardzo zaskoczona. Wskoczyłam od razu do tej nieprzyzwoicie czystej wody. Dno też okazało się piaszczyste, bez szlamu i glonów. No i to powietrze, czyste, wspaniałe. Zupełnie jakby cywilizacja, ze śmierdzącymi fabrykami i samochodami, jeszcze tu nie dotarła. A przecież tak nie jest. Te jeziora są tylko godzinę drogi oddalone od wielkiej aglomeracji.

Szkoda, że nie mam jeszcze samochodu, mogłabym tu częściej przyjeżdżać. A tak to tylko wtedy, gdy mogę się z kimś zabrać. Długo mogłabym Ci jeszcze opisywać, jaka piękna jest Kanada. Szkoda tylko, że bez Ciebie…

Właśnie skończyłam rozmawiać z Tobą przez telefon. Czekałam na połączenie dwie godziny, ale warto było. Widzisz, ile znaczysz dla mnie, to ja pierwsza zadzwoniłam do Ciebie. Zaskoczyłeś mnie wiadomością o tym, że Gucio wpadł i będzie ojcem. Nie wyobrażam go sobie w tej roli, zwłaszcza teraz, kiedy w Polsce niczego w sklepach nie ma. On, taki ambitny artysta malarz, który chciał podbić świat swoimi obrazami, będzie teraz latał w poszukiwaniu zasypek, pieluszek i innych dupereli niezbędnych dla dzieci w wieku niemowlęcym. Oj, jak bardzo nie chciałabym dostać podobną wiadomość od Ciebie... Chyba zwariowałabym z zazdrości, że możesz być z kimś innym na stałe. Jakoś ciągle roszczę sobie prawo do Twojej osoby. Dziwne, a jednak to prawda.

Pytałeś mnie o mój układ z Darkiem. Co z tego wyniknie, nie wiem. Może uda się mu przyjechać do mnie na tydzień lub dwa we wrześniu. Niedługo powinien dostać rozwód. Jego żona i dziecko są jeszcze z nim, w związku z sytuacją w kraju, ale jak tylko będzie to możliwe, wrócą do Polski. Tak przynajmniej mi mówił. Ale czy będziemy razem? Nie wiem.

Nie mam jeszcze stałej pracy. Robię tylko dorywczo projekty na zlecenie, w domu. Poza tym 5 dni w tygodniu zarabiam na życie jako kelnerka. Wstaję o 5.30 rano, bo ponad godzinę tracę na dojazd, a zaczynam pracę o 7.30. Nie lubię tak wcześnie wstawać. Ta praca to praca czasowa, żeby podreperować budżet i opłacić rachunki. Nie mam długów, ale żyję dość skromnie. Mam też jeszcze trzecią pracę. Prywatnie i niezależnie rozprowadzam kosmetyki wśród znajomych pań. To bardzo fajne zajęcie, robię to, kiedy mam czas i ochotę. Produkty są dobre, na bazie naturalnej. Dostaję procent od ilości sprzedanych kosmetyków. Idzie mi to zupełnie nieźle. Jak zresztą wiesz, umiem sprzedawać i jestem w tym dobra.

Choć oczywiście wolałabym pracować tylko w swoim zawodzie. Ale na to potrzeba czasu. Znajomych mam tu dużo, przyjaciół mniej. Dużo zwiedzam i podróżuję po okolicy. Życie wciąż mnie uczy nowych rzeczy i chyba jestem w sumie zadowolona z doświadczeń.

Całuję mocno, i pamiętaj – kocham. Trzymaj się, szczęśliwej podróży i powodzenia na ateńskiej ziemi.

P.S. Czy wiesz, że w Toronto jest grecka dzielnica? Poszłam tam pewnego dnia, kiedy czułam się samotnie i źle. Chciałam posłuchać greckiego języka, zajrzeć do greckiej knajpki na kawę. Chodziłam tam bezmyślnie przyglądając się wystawom sklepowym. Kiedy zza chmur wyjrzało wreszcie słońce – poczułam się lepiej, tak jak wtedy, gdy byliśmy jeszcze razem. Już pewnie do końca życia słońce będzie mi się kojarzyło z Tobą i naszą miłością.

„Nasze dzieci też nie zawsze wiedzą, co przeżyliśmy”

[list pisany po grecku]

NADAWCA: **Athanansios Tzatzos, Janina, Grecja**
ADRESAT: **Jorgos Panos, Wrocław, Polska**

Janina, 1 listopada 1982

Drogi chłopcze, strasznie było mi ciężko czytać, że Twój ojciec, a mój stary przyjaciel i druh odszedł już na wieczną wachtę, chcę więc najpierw złożyć całej Waszej rodzinie serdeczne kondolencje. To wielka i niepowetowana strata, przede wszystkim dla Was, a może najbardziej dla Waszej matki, do której już parę dni temu wysłałem telegram z kondolencjami.

Twojego ojca będę pamiętać jak wiernego przyjaciela, z którym połączyła nas historia i wiara w nasze ideały, a to spowodowało, że staliśmy się dla siebie jak bracia. Wspólna walka związała nas na zawsze i obaj to wiedzieliśmy, chociaż ostatnimi laty mieliśmy rzadko kontakty ze sobą. Ale to nie szkodzi, bo Twój ojciec i ja przeżyliśmy tyle razem, że mogliśmy na sobie polegać z kontaktami czy bez. Wystarczyłoby słowo, a jeden zawsze leciałby ratować drugiego, chociaż na szczęście nie było takiej potrzeby, ale wiedzieliśmy to, wiedzieliśmy zawsze i to było i jest właściwie najważniejsze. Ilu ludzi nigdy nie miało takiego przyjaciela, jakim był dla mnie Twój ojciec; wielka to szkoda, że już go nie ma, Mikis Panos odszedł na wieczną wartę. Cześć jego pamięci!

Dobrze chociaż, że doczekał wnuka, który nosi jego imię.

Wy – młodzi – macie szczęście, że urodziliście się w lepszych czasach, bez wojny, podczas gdy dla nas los nie był taki łaskawy. Nie chcę tu wracać do starych spraw, świat się zmienił i jego problemy też są teraz inne. Młodzi ludzie, nawet nasze dzieci też nie zawsze wiedzą, co przeżyliśmy, i tak jest dobrze.

Życie w czasach pokoju, w wolnym kraju jest wielką wartością. Twój ojciec wiedział o tym najlepiej, bo dla tego celu przelewał krew. Ty, Jorgos (tak jak i Twój brat), możesz być dumny, że jesteś synem takiego człowieka.

„Ja, bojownik Demokratycznego Wojska jestem gotów przelewać moją krew i oddać moje własne życie, by co do ostatniego wypędzić najeźdźców z ziem Ojczyzny. By zniszczyć ostatni ślad Faszyzmu..."

Z poważaniem
Athanansios Tzatzos

„Więc jesteś emigrantem tak jak i ja"

NADAWCA: **Halusia, Toronto, Kanada**
ADRESAT: **Jorgos Panos, Ateny, Grecja**

Toronto, 14 grudnia 1982

Mój najukochańszy Gosku!

Dostałam właśnie kartkę od Ciebie, na którą, muszę się przyznać, czekałam bardzo, aby móc znowu mieć z Tobą kontakt. Szkoda, że tak mało piszesz.

Tyle mi się pytań ciśnie na usta: czy jesteście już wszyscy w Grecji, jak dojechaliście, czy mieliście kłopoty na granicy polskiej i greckiej, co wywieźliście ze sprzętu domowego ze sobą, czy spodziewasz się szybko dostać pracę, czy będziecie mieli niezależne mieszkanie, jak mama Twoja się czuje? Itepe, itede. Pytaniom końca nie ma, a ja tak bardzo chciałabym porozmawiać z Tobą w cztery oczy.

Więc jesteś emigrantem tak jak i ja. Chociaż właściwie nie wiem, czy można Cię nazwać emigrantem, bo przecież Twoi rodzice pochodzą z Grecji. Dlatego Tobie będzie trochę łatwiej, bo to znajomy i bliski Ci kraj i język. Grecja to był zawsze drugi dla Ciebie dom. No, a poza tym jesteś tam z bliskimi Ci ludźmi, masz rodzinę koło siebie. Wiem, wyobrażam sobie, ile bieganiny, czekania, proszenia, znajomości wam potrzeba do załatwienia wszystkiego w tej cudownej, lecz biurokratycznej Grecji.

Pamiętasz, jak pierwszy raz pojechaliśmy razem na wakacje do Grecji i nas przetrzymano 12 godzin na lotnisku w Atenach? Wszystko dokładnie pamiętam z naszych podróży, chociaż było ich w sumie niewiele. Cieszyłam się z naszych wspólnych wakacji i zawsze miałam nadzieję, że pozostaniemy razem. Nadal myślę o Tobie często. Wszystko pamiętam, każdy dzień spędzony z Tobą, każdy wieczór, kiedy zasypialiśmy wtuleni w siebie. Pamiętam nasze poranki, kiedy po przebudzeniu się nie chciałam, żebyś mnie całował, zanim nie umyłam zębów. A Tobie wcale nie przeszkadzało, że moje ciało i oddech pachniały nocnym seksem i miłością. Kochałeś mnie i chciałeś mnie zawsze, w każdej chwili. Śmiałeś się ze mnie i nazywałeś Halusia-Porządniusia. A ja zawsze w końcu ulegałam Ci z wielką czułością. Wszystko pamiętam. I to też, że bardzo obawiałeś się ze mną związać na stałe ze względu na planowany wyjazd z Polski. Ilekroć zaczynałam głośno marzyć o naszym wspólnym życiu, milczałeś daleki, wpatrzony w coś, czego ja nie widziałam. Byłeś wtedy nieosiągalny dla mnie. A ja długo wierzyłam, że jakoś to będzie. Szkoda, że jesteś tak daleko, szkoda, że nie ze mną, szkoda...

Nie wiem, czy ucieszy cię wiadomość, że znowu jestem sama. Z Darkiem dałam sobie spokój. I tak nic by z tego nie było. Więc nadal jestem sama. Nawet nie przypuszczasz, Jorgosku, jak bardzo chciałabym, aby ktoś mnie mocno przytulił, długo pocałował i gorąco wykochał. Ty byś na pewno wiedział, jak mnie zadowolić. Trochę mniej czuję się kobietą, gdy jestem sama.

Doprawdy nie wiem, jak to sobie wytłumaczyć, ale od momentu jak się rozstaliśmy, nie mogłam Cię widzieć z inną dziewczyną. Sama świadomość, że możesz mieć kogoś innego, była i jest dla mnie nie do zniesienia. Ciągle zżera mnie zazdrość, dlaczego to nie ja, dlaczego nie traktowałeś mnie poważnie, dlaczego nie byłeś odpowiedzialny za nas, dlaczego postępowałeś tak, a nie inaczej.

Ja sobie wszystko tłumaczyłam tym, że jesteś młody, no i że nie chcesz się angażować, aby się związać na stałe. Ale jednak żałuję bardzo, że to nie my, nie my...

Przesyłam Ci moje 3 zdjęcia, abyś sobie przypomniał, jak wyglądam.

Myślę, że się nie zmieniłam, co? Darek twierdził, że jestem najpiękniejszą dziewczyną w Kanadzie, ale co tam Darek...

Dalej pracuję w tej cholernej restauracji od bladego świtu do późnego wieczora.

Wracam umęczona strasznie, ale mimo to zasiadam jeszcze często do stołu, by porobić trochę artystycznych zleceń. Nie mam czasu na żadne rozrywki i flirty. Najgorsze jest to, że nie pracuję w zawodzie. Tracę czas na tę restauracje za psie pieniądze, a na tę właściwą pracę jest za mało sił i czasu. Robię wszystko, by znaleźć dobrą graficzną pracę, może w tym lub przyszłym miesiącu się uda.

Podaję Ci mój telefon i jeśli tylko będziesz chciał i mógł, zadzwoń, zadzwoń koniecznie do mnie. Wstaję bardzo wcześnie rano i pracuję 5 dni w tygodniu, czasem także w sobotę i niedzielę.

Jeśli będziesz dzwonił, pamiętaj, że jest między nami 6 godzin różnicy w czasie, chociaż właściwie to nie ma znaczenia. Będę czekała

Całuję Cię mocno i czule. Pozdrów mamę i brata.

Ściskam Cię jeszcze raz
Twoja kochająca i smutna
Halusia

„Ta nazywa się Święta Mamona”
[list pisany po grecku]

NADAWCA: **wujek Antonis, Skopje, Jugosławia**
ADRESAT: **Jorgos Panos, Ateny, Grecja**

Skopje, Jugosławia, 18 stycznia 1983

Drogi mój siostrzeńcu!

Najsampierw życzę Ci dobrego, zdrowego nowego 1983 roku i mam nadzieję, że będzie on lepszy niż rok poprzedni. Dziękuję Ci też za Twój długi list i za to, że wszystko dokładnie opisujesz. To całkiem inaczej niż moja siostra, a Twoja matka, która zwykle pisze tylko parę słów do mnie. Dobrze chociaż, że mam kontakt z Tobą i Twoim bratem Markosem, to wiem, co się u Was dzieje. Ale pozdrów także moją siostrę, a Twoją matkę bardzo serdecznie i przekaż jej moje słowa: najbardziej, droga siostro, życzę Ci zdrowia i siły i wytrwałości.

Twój brat Markos pisał mi ostatnio z Polski, że dostał lepszą pracę i teraz lepiej zarabia. To dobrze, przecież musi dbać o rodzinę, bo ma syna. A Ty, Jorgos, kiedy zamierzasz się ożenić? Pewnie chcesz najpierw ułożyć sobie życie w Grecji, a dopiero potem pomyślisz o żeniaczce... Myślę, że kandydatek Ci nie brak; słyszałem coś o tym. Miejmy nadzieję, że będzie to jakaś miła dziewczyna, najlepiej z Ojczyzny. A jak już się zdecydujesz ożenić, to weź tylko ślub cywilny, zamiast kościelnego. Pewnie wiesz, że do tej pory ważny był w Grecji tylko ślub kościelny, ale od ubiegłego roku to się zmieniło. Teraz ślub cywilny jest równie ważny jak kościelny. I bardzo dobrze, bo ja nie przepadam za kościołem i klechami. Te klechy są, byli i będą pazerni i łasi na władzę i pieniądze. Niby gwoli miłości do bliźniego, ale tak naprawdę gwoli miłości do jedynej świętej, do której się modlą. Ta nazywa się Święta Mamona. Nie wiem, jak to jest w katolickiej Polsce, zwłaszcza teraz, jak ten polski Karolek trzęsie Watykanem, ale pewnie tak samo.

Pytasz mnie, co zdecydowaliśmy w sprawie powrotu do Ojczyzny. To trudna sprawa. Starym ludziom ciężko jest emigrować po raz kolejny. Bo chociaż jesteśmy Grekami, albo Macedończykami, to już ułożyliśmy sobie życie gdzieś indziej. Wielu z moich dawnych towarzyszy broni zdecydowało się jednak na powrót do Ojczyzny. Rozumiem to, ale boję się, że czeka ich wielkie rozczarowanie. Tej Grecji, która pozostała w ich wspomnieniach, już dawno nie ma. Wszystko się tam zmieniło i tak naprawdę nikt tam na nich nie czeka. Nie mówiąc już o tym, że żadnej pomocy ze strony państwa nie ma się co spodziewać.

Może jestem zgorzkniały, ale wiem, jak potraktowano nas po wojnie domowej. Zabranie obywatelstwa było najlżejszą karą, bo oprócz tego były jeszcze zaoczne sądy i niemałe wyroki. A przecież walczyliśmy o wolność Grecji i za to przelewaliśmy krew. Pamiętam, jak wyjeżdżaliśmy z Grecji. To było zaraz po wojnie domowej. Przegraliśmy ją, Jorgos, ale jeszcze przez długie lata mieliśmy nadzieję, że wrócimy do Ojczyzny z bronią w ręce. Niektórzy nie chcieli nawet zdejmować mundurów. Słyszałem, że starsze dzieci, te, które wylądowały w Związku Radzieckim, też były później przygotowywane do powrotu do Grecji i podjęcia walki. Ale to było później.

Dzień, w którym zaczęto nas upychać do wagonów, był piękny, taki jak tylko na półwyspie Peloponeskim może być dzień pod koniec października. To był czwartek, wiem to na pewno. Pamiętam doskonale wszystko, co się wtedy wydarzyło. Twarze, zapachy, kolory. Płaczące, strachliwe dzieci kurczowo trzymające się matek. Bezradni mężczyźni, ładujący jakieś kosze i pakunki do środka wagonów. Pamiętam twarz tej kobiety, której pomagałem wsiąść do wagonu. Była sama, bez rodziny, nie pytała o nic i przez całą podróż nie odezwała się ani słowem do nikogo.

Przeszłość żyje w nas tym żywiej, im człowiek starszy. Sam się o tym przekonasz, Jorgos. Będziesz wracał do każdego dnia swojej młodości, tak jak ja wracam do swojej. Pamiętam każdy dzień wojny z okupantem, a później wojny domowej. Pamiętam to dokładnie, jakby to było wczoraj. A to, co przeżyłem wczoraj – dziś już zapomniałem.

Nikt nie wiedział, dokąd pojadą te pociągi, poza tym, że będą one jechać w kierunku krajów socjalistycznych. Te kraje zgodziły się przyjąć uchodźców z Grecji. Bardzo się bałem, że nas rozdzielą z resztą rodziny. I tak, niestety, też się stało.

Teraz już wiem, z perspektywy wielu doświadczeń, że to, czego się boimy najbardziej, zwykle staje się rzeczywistością. Tak jakbyśmy przeczuwali, co się wydarzy w przyszłości, chociaż pewnie tak nie jest, bo człowiek boi się wielu rzeczy, a tylko niektóre z nich się sprawdzają.

Jedna z sióstr, Twoja mama, trafiła z mężem do Polski, rodzice – jak się potem okazało – wylądowali w Czechosłowacji, my zostaliśmy w Jugosławii. I tak zaczęło się nasze życie na emigracji. Najpierw myśleliśmy, że to tylko na parę miesięcy, może rok. Najdalej dwa. Jak tylko pozbieramy się po wojnie domowej i nabierzemy sił – wrócimy do Ojczyzny.

A później czas przyspieszył, urodziły się nam dzieci i nie wiadomo kiedy, staliśmy się ludźmi starymi. Grecja pozostała w naszych sercach na zawsze, ale już tam pewnie nie wrócimy. Osiedliśmy już chyba już na stałe w nowych miejscach. A poza tym niełatwo pozostawia się wnuki, choćby nawet dusza ciągle jeszcze rwała się do Ojczyzny. Twoja mama, a moja siostra wie to najlepiej, bo ona też jest bardzo przywiązana do małego Mikisa – syna Twojego brata. Więc nie wiem, jak to będzie, jak żona Twojego brata zdecyduje, że nie chce na stałe wyjeżdżać z Polski. Pewnie Markos będzie wtedy zmuszony też pozostać w Polsce na stałe. Aliści dla Ciebie i Markosa to inna sytuacja mieszkać w Polsce. Urodziliście się tam i pewnie to jest bardziej Wasza ojczyzna niż Grecja, chociaż ciężko mi w to uwierzyć. Więc jak to dalej będzie, nie wiem, ale nie mogę sobie wyobrazić, żeby moja siostra, a Twoja matka chciała opuścić swojego wnuka. Jest tylko jedna nadzieja, że Krysia, żona Twojego brata, zdecyduje się wyjechać do Grecji, bo przecież w Polsce żyje się teraz bardzo ciężko i wszystkiego jest brak. Markos pisał mi o tym i moja siostra, a Twoja matka, też mi o tym pisała.

Tutaj w Jugosławii, gdzie żyjemy, nie jest nam źle. W sklepach jest, co potrzeba, no i klimat jest tu podobny do greckiego – ciepły. Twoja matka, a moja siostra, zawsze skarżyła mi się w listach na klimat w Polsce. Na długie jesienne miesiące, kiedy tylko pada i pada. Na ciemny listopad i grudzień, kiedy trzeba w ciągu dnia palić światło, bo tak jest ciemno. Na mroźne zimy i na to, że wszyscy wtedy chorują albo są przeziębieni, a ona najbardziej. I na to, że cytryn nie ma ani na lekarstwo.

Pod tym względem jest nam tutaj w Jugosławii dużo łatwiej, tym bardziej że ani takich zim, ani takich mrozów tutaj nie ma. Tylko powietrza greckiego nam brak. I zapachu morza, tak jak w naszej wiosce. Piszesz, że masz różne problemy w Grecji. To jest normalne na początku. Tak było i z nami i z Twoimi rodzicami. Ciężko było na początku, bardzo ciężko. Tym bardziej że i języka nie znaliśmy. Tobie jest przecież łatwiej, bo mówisz po grecku. Zresztą tak naprawdę jesteś przecież Grekiem, tak jak Twój ojciec i matka. Więc głowa do góry, Jorgos, głowa do góry...

Sam zobaczysz, że na pewno później będzie Ci lepiej, początki są zawsze trudne. Musisz mieć więcej cierpliwości, mój chłopcze. W Grecji mamy już przecież od prawie dziesięciu lat ponownie demokrację i musimy mieć nadzieję, że powoli wszystko się zmieni na lepsze. Zwłaszcza teraz, od kiedy mamy lewicowy rząd Papandreou. Zobaczymy, co ten Papandreou ze swoimi ministrami zwojuje dla nas, Greków, na obczyźnie. Poza amnestią jest jeszcze przecież niezałatwiona sprawa rent i emerytur. Bo z czego mają żyć po powrocie do Grecji starzy ludzie, którzy przepracowali całe życie w innych krajach? Z greckiego powietrza? Bez pomocy rodziny nikt by nie przeżył, aliści ile można żyć na garnuszku rodziny? Rozpisałem się jak nigdy, więc będę kończył.

Mam też prośbę Jorgos, żebyś poprosił A. o dokumenty z ostatniego kongresu KKE Komunistycznej Partii Grecji. A. na pewno Ci w tym pomoże. Przyślij mi je, to mnie interesuje.

Pozdrawiam
Twój wujek Antonis

P.S. Nie zapomnij pozdrowić swojego brata i też życzyć mu szczęśliwego roku 1983!

„Komunia była o 8 rano”

NADAWCA: **koleżanka Renata, miejsce nadania nieznane**
ADRESAT: **Jorgos Panos, Ateny, Grecja**

Drogi Jorgos!

Chciałabym bardzo podziękować Ci za buty dla Ani. Dotarły w terminie i są przepiękne. Rozmiar bardzo dobry. Muszę Ci również powiedzieć, że mam wyrzuty sumienia, że wpędziłam Cię w takie kłopoty. Była to pierwsza i ostatnia moja prośba tego typu, przyrzekłam to sobie solennie. Jeszcze raz bardzo przepraszam.

Przyjęcie było na 30 osób. Komunia była o 8 rano. Uroczystość w kościele była dość pompatyczna i niespecjalnie mi się podobała. Ale kiedy zobaczyłam łzy mojej mamy, i ja wzruszyłam się bardzo. Ania wyglądała ślicznie, moim zdaniem była najładniej ubrana. Po komunii było śniadanie, potem obiad, potem Ania jeszcze raz poszła do kościoła. Cała impreza skończyła się o 8 wieczorem. Było dużo wrażeń i emocji, najwięcej dla Ani.

Teraz najnowsze wiadomości. Tomek dzwonił i wyobraź sobie, że kupił ze znajomym na spółkę samochód, zrobił koncesję i jeździ taksówką po Chicago. Muszę Ci powiedzieć, że gdyby mi powiedział, że leci w kosmos, też bym się chyba bardzo nie zdziwiła. Przeraziłam się tylko, że teraz termin jego powrotu wcale nie będzie taki pewny. Ale myślę o tym w cichości ducha, jemu zaś powiedziałam, żeby zabukował bilet na sierpień. Boję się tylko, czy i ten termin zostanie dotrzymany.

Pieniądze są ważne, ale przecież nie najważniejsze. Poza tym Ania musi mieć ojca na co dzień, a nie od święta. Nie chcę być obojgiem rodziców jednocześnie. Nie mówiąc już o tym, że ja też chcę mieć Tomka dla siebie. Może nie jest najwspanialszym mężczyzną na świecie, ale jest mój. Na tym kończę, pozdrawiam Cię serdecznie i jeszcze raz przepraszam za kłopot, ale sam wiesz, jaki jest teraz wybór butów w naszych sklepach

Twoja koleżanka Renata

„Wiem, że nie jest Wam łatwo"

NADAWCA: **Halusia, Toronto, Kanada**
ADRESAT: **Jorgos Panos, Ateny, Grecja**

Toronto, 20 stycznia 1983

Jorgosiku kochany!

Twoje urodziny zbliżają się wielkimi krokami i musisz wiedzieć, że ja pamiętam i myślę o Tobie i tulę Cię ogromnie ciepło urodzinowo i nastrojowo. To Twoje pierwsze urodziny w południowym klimacie o zapachu oliwek i pomarańczy. Na pewno będą inne, z innymi przyjaciółmi i w innym języku.

Kochany, życzę Ci, by na nowej ziemi los się do Ciebie uśmiechnął. Życzę Ci, byś dostał dobrze płatną pracę. I żeby wszystko wokół Ciebie było naj, naj, naj.

Mam też nadzieję, że Grecja będzie łaskawszą ojczyzną niż nasza Polska. Niełatwo było Wam w niej żyć, ale przecież, Jorgos, mimo wszystko, byliśmy tam tacy szczęśliwi. Czasem śni mi się, że chodzimy po ulicach Wrocławia. Te ulice we śnie są inne niż w rzeczywistości, ale ja wiem, że to nasze rodzinne miasto. Kiedy budzę się, wyliczam po kolei wszystkie ulice, którymi chodziliśmy prawie codziennie. Sam ich dźwięk uspokaja mnie i dodaje odwagi na cały dzień: Sądowa, Krupnicza, Teatralna, Wierzbowa, a później Piaskowa, aż do Katedralnej. Spędziliśmy razem tyle wspaniałych chwil w naszym mieście. Pamiętasz nasze pierwsze spotkanie na uczelni, spacery nad Odrą, pocałunki w parku Słowackiego?

Ciekawa jestem, jak ułoży się dalej Twoje życie w Grecji. Pamiętasz, jak opowiadałeś mi o tej wspaniałej Grecji, za którą tak bardzo tęsknili Twoi rodzice. Być może nasze pragnienia i tęsknota powodują, że to, co straciliśmy – pięknieje w naszych myślach. Teraz wszystko to, co zostawiłam w Polsce, wydaje mi się takie cudowne. I tak zapewne odczuwali to też Twoi rodzice. To, co zostawili w Grecji, było dla nich po tysiąckroć ważniejsze niż to, co dostali od życia w Polsce. No, może tylko z wyjątkiem dzieci, bo przecież Ty i Markos urodziliście się już w Polsce.

Mam nadzieję, że ta prawdziwa Grecja będzie równie wspaniała jak w Twoich opowieściach. Życzę Wam tego z całego serca. I życzę Ci też szczęścia sercowo-duchowo-cielesnego, bez czego przecież nie da się żyć.

Jorgosku przesłodki, całuję Cię najpiękniej i najgoręcej jak za dawnych dobrych czasów, dając Ci na urodziny całe moje mocno przytulone ciało.

Chciałabym też złożyć życzenia Twojej dzielnej mamie. Jakie to straszne, że Twój ojciec zmarł tuż przed Waszym wyjazdem do Grecji. Nie doczekał, biedny, powrotu do Grecji, a przecież tak bardzo chciał tam wrócić. Proszę, trzymaj się dzielnie, przecież musisz teraz być głową rodziny i zarabiać. Wiem, że nie jest Wam łatwo, i dlatego życzę Wam szczęśliwego Nowego Roku. Nie poddawajcie się, ani teraz, ani później. Jeszcze raz całuję. Wybacz, proszę, że dziś piszę tak krótko.

Następny list będzie już dłuższy. Jeszcze raz całuję, kocham

Twoja Halusia

P.S. Czy wiesz, Jorgosku, że jest nas Polaków w Kanadzie już prawie dwieście tysięcy? I ciągle nas przybywa?

„Życie bardzo wygodne i spokojne”

NADAWCA: **Anna Piotrowska, Adelaide, Australia**
ADRESAT: **Jorgos Panos, Ateny, Grecja**

Adelaide (Australia), 23 stycznia 1983

Drogi Jorgos!

Długo nie dawaliśmy znaku życia, gdyż chcieliśmy napisać coś konkretnego.

A więc po prawie 8-miesięcznym pobycie zadomowiliśmy się na dobre. Po 3 miesiącach mąż dostał dobrą pracę w banku. Ja zaczęłam uczęszczać na kursy angielskiego. Jak wiesz, mówię trochę po angielsku, ale nie tak dobrze jak mój mąż.

Parę miesięcy temu kupiliśmy dom, gdy nie opłacało się płacić dalej za wynajem mieszkania. Spłata kredytu zaciągniętego na dom wynosi tyle, co czynsz. Pewnie dlatego prawie wszyscy mają tutaj własne domy. Nasz dom jest pięknie położony. Posiada duży owocowy ogród z tyłu i mały, kwiatowy od frontu. Oczywiście jest garaż (mamy Toyotę używaną, ale w dobrym stanie) i niewielkie podwórko. Całość usytuowana jest na skarpie, skąd roztacza się widok na miasto i wzgórza Adelaide.

Klimat bardzo przyjemny, mniej deszczowy i mroźny niż w Polsce. Tutaj zimy właściwie nie ma. Czasem popada przez kilka minut i to wszystko. Życie bardzo wygodne i spokojne. Jest niezwykle czysto i bardzo zielono. Ludzie mili, uprzejmi, uczynni.

Dużo jest Polaków, którzy są nieuprzejmi, niemili, przemądrzali. Większość nie mówi po angielsku. Przyjechali, tak jak my, niedawno w poszukiwaniu lepszego życia.

Kontaktów nie mamy zbyt wiele. Właściwie nie ma na to czasu. Mąż wraca z pracy po szóstej wieczorem, ja uczę się 4 godziny dziennie. Po powrocie czekają codzienne obowiązki. W weekendy załatwia się zaległe sprawy domowo-ogrodowe albo wyjeżdża za miasto. Okolice są bardzo ładne i ciekawe.

Życie jest tu dostatnie. Mogę stwierdzić, że jeżeli ma się pracę, można narzekać tylko na podatki. Poza tym jest naprawdę dobrze. W naszej sytuacji, dwojga osób bez dzieci, pensja męża jest zupełnie wystarczająca. Pewnie, że człowiek nigdy nie narzeka na nadmiar pieniędzy. Nie leży to w naturze człowieka. W niedalekiej przyszłości zamierzam postarać się o pół etatu. Dodatkowe pieniądze pozwolą nam ładnie urządzić dom. Tutaj właściwie nie dba się specjalnie o ładne urządzenie domu. Australijczycy dbają o wygodne życie i wypoczynek. Niewiele czasu spędzają w domu. Pracują dużo i długo, a w weekendy wyjeżdżają poza miasto. Kiedy zostają w domu, to spotykają się w większym gronie w ogrodzie z nieśmiertelnym grillem i dużą ilością piwa.

Dziś, przy bezchmurnym niebie i czystym powietrzu, jest prawie 35 stopni ciepła. Upałów właściwie się nie odczuwa. Wszędzie jest klimatyzacja, nawet w autach. Nasze auto ma ją także.

Na tym kończę. Pozdrawiamy serdecznie
Anna i Krzysztof Piotrowscy

„Wybrałem czerwony, chociaż nie lubię tego koloru"

NADAWCA: **przyjaciel Maciej, Wrocław, Polska**
ADRESAT: **Jorgos Panos, Ateny, Grecja**

Wrocław, 25 stycznia 1983

Jorgos, stary przyjacielu i chuju!

Dzięki za Twoje kartki. Ostatni list, który podałeś przez tego Greka, co jechał do Warszawy, szedł do nas – bagatela – prawie 2 miesiące.

W międzyczasie, jak wiesz, urodziła się nam córka. W scenerii jak z Hollywood – były wichry, huragany, zacinał deszcz o szyby, wyły psy, miauczały koty, obudziliśmy się w środku nocy z moją żonusią. Jakiś niepokój nas dręczył. Żadne z nas nie wiedziało, czy to jest TO, bo żadne z nas jeszcze nigdy nie rodziło. Wchodziło w grę jeszcze, że to kupa, ale po godzinie ustalono, że to dziecko leci.

A przedtem zaraz po Twoim wyjeździe do Grecji dostaliśmy przydział na artykuł samochodopodobny, czyli „malucha", i w ciągu dwóch dni musiałem skombinować 100 000 złotych na dopłatę, bośmy oszczędności na książeczce przehulali. Niełatwe te było, bo nikt teraz groszem nie śmierdzi, ale udało się. Pojechałem do Bydgoszczy po odbiór malucha. Poza mną odbiór mieli sami szeryfowie ze wsi i kacykowie z szeregów partii, więc roiło się od czarnych kurtek skajowych i głośno było od pohukiwań. A wszyscy mocno nieapetyczni i upasieni.

Sekretarka najpierw nie chciała ze mną rozmawiać o wyborze koloru malucha. W tym miesiącu są tylko srebrne, powiedziała, i cześć. A te srebrne to żadne srebrne, tylko szare. W przyszłym miesiącu może będą pistacjowe, albo czerwone, stwierdziła. Kiedy jednak zacząłem używać wszystkich moich krasomówczych talentów i przewracać oczami jak kot do mleka, w końcu zgodziła się. Wybrałem czerwony, chociaż nie lubię tego koloru. Przynajmniej będzie go dobrze widać na drodze. A poza tym wszystko lepsze niż taki szary, mały smutas na drodze.

A potem pojechałem do wujostwa w Szczecinie i przywiozłem wór cytrusów do Wrocławia. Tam się zleciały wszystkie hieny i w krótkim czasie wyżarły i wyssały cytrusy i tyle tego było.

Życie jest teraz bardzo jednostajne, mało uciech, drinków i hulanek. Za to niedługo już zostanę dopuszczony do żonusi i na to się bardzo cieszę.

Dziecko sprawia mi też dużą radość. Jest niezwykle podobne do mnie za wyjątkiem detalików płciowych. Nawet przedziałek ma w jednakowym miejscu. Dziecko nazywam albo „mokradełko", albo „kupcia-pupcia". Na szczęście żonka czyści jej tyłeczek.

Poza tym nic ciekawego, czyli życie bez zmian. Zamroziło się na pewnym poziomie, z wyjątkiem cen. Dżem truskawkowy 97 zł, jajko – 20 zł, komplet pościeli – 3900 zł, kozaczki dochodzą do 30 000 zł. Wódeczka coś około 700 zł i znów jej brakuje.

Dla dziecka, za okazaniem książeczki zdrowia i odpowiednich bilecików, sprzedają mi za ciężkie pieniądze masło i ser pochodzące z darów zagranicznych. Na nowe zlecenia nie mam na razie widoków, żyjemy na pożyczkach.

Byliśmy ostatnio na konfrontacjach. Kino pustawe, bo karnety drogie (850 złociszy!), a ludzie coraz cieniej przędą. Tylko lokalni volksdeutsche mają się lepiej, bo żyją z paczek. No i prywaciarze wypchani puchem łabędzim i mknący w obłych samochodach złotego koloru.

Program Konfrontacji był dość ciekawy. Poza różnymi mniej czy bardziej komercyjnymi produkcjami były również dwa filmy greckiego reżysera, Theo Angelopousa: „Podróż Komediantów" i „Aleksander Wielki". Opowiem Ci o nich, bo wiem, żeś spragniony kultury, jako że w Grecji talerze myjesz.

Pierwszy film opowiada o historii wojny domowej w Grecji już po zakończeniu drugiej wojny światowej. Film jest długi, bo prawie czterogodzinny i nie zawsze wiadomo, o co w nim chodzi. Jak zrozumiałem, bo się natężyłem intelektualnie, wojna domowa była w Grecji krwawa i spowodowała wiele cierpień. To pewnie chciał nam reżyser przekazać, ale zrobił to w bardzo nudny sposób. Twoi rodzice, jeśli Ci kiedyś opowiadali o tych czasach, z pewnością zrobili to w bardziej interesujący sposób. Ale nie wiem, czy Twój Ojciec (póki jeszcze żył) chciał do tego wszystkiego wracać.

Moi rodzice często wracają wspomnieniami do swojej młodości w czasie wojny. Z jednej strony wiele przecierpieli, ale z drugiej, ilekroć opowiadają o Lwowie, z którego zostali wysiedleni, bierze mnie cholera. Wszystko we Lwowie było piękne, pełne słonecznych blasków, pachnące świeżym chlebem i fiołkami. Już nawet nie próbuję na to reagować, bo to i tak nie pomaga. We Lwowie wszystko było lepsze, zdrowsze, ciekawsze: ludzie, szkoły, żywność i powietrze. Nawet kupy były bardziej regularne i nikt nigdy nie miał zatwardzenia. Nie to, co tu teraz we Wrocławiu, gdzie wszyscy mają kłopoty ze spaniem i z wypróżnianiem, bo powietrze niezdrowe. I woda nie taka.

Zawsze, ilekroć słucham tych bajek o utraconym prywatnym raju o nazwie Lwów, to myślę sobie o Niemcach, którzy zostali wysiedleni z naszego przecież Wrocławia. Przecież dla nich to także raj utracony, choć z pewnością ich niemiecki Breslau sprzed wojny niewiele ma wspólnego z dzisiejszym Wrocławiem.

Na drugi film „Aleksaner Wielki" cieszyłem się jak dziecko, bo lubię filmy szybkie, przygodowe. Rozczarowanie moje było wielkie. To wcale nie jest film o TYM Aleksandrze Wielkim, tylko o jakimś watażce, bandycie i porywaczu z początku dwudziestego wieku. Ten posługuje się kłamstwem i terroryzmem i realizuje niby to komunistyczną utopię. Krótko mówiąc, ten facet to coś w rodzaju Cauczesku i Mao w jednej osobie. Film kończy się pesymistycznie, albo optymistycznie, jak kto chce, władza zmierza ku katastrofie i wszystko kończy się wielkim chaosem.

Po obejrzeniu obydwu filmów zastanawiam się tylko, dlaczego pokazują one Grecję jako kraj ponury, brzydki, deszczowy i mglisty, pełen nieprzyjemnych typów, niebezpiecznych dla innych i siebie? Przecież od Ciebie zawsze słyszałem, że to kraj przyjemny, radosny, pełen ludzi wesoło tańczących zorbę i kółko graniaste. Mówiłeś mi, że w Grecji zawsze świeci słońce i dzięki temu nikt nikomu nie skacze do gardła i nie ma skurwysynów za wszelką cenę chcących utrzymać władzę. To ja się Ciebie pytam, Jorgos, kłamałeś?

Słyszałem, że ten Wasz Papa-Papa-Papandreu – czy jak mu tam, kacyk rządowy, ogłosił generalną amnestię i możliwość powrotu wszystkich Greków z emigracji. Ten Papa-Papa-Papandreu, co się teraz dorwał do żłobu razem ze swoją tfu, socjalistyczną partią, podobno chce, żeby Grecy, którzy wyjechali po wojnie domowej, odzyskali greckie obywatelstwo. Czy Ci to coś pomogło w Twoich sprawach paszportowo-biurokratycznych? Jakie masz widoki na pracę w zawodzie? A mama, czy dostanie w Grecji rentę po ojcu, przecież z czegoś musi żyć. Twój ojciec pewnie ze 30 lat pracował w Polsce. Jednak boję się, że gdzie Rzym, gdzie Krym, pewnie widoków na to nie ma.

Z tego, co wiem z naszych PRL-owskich mediów, na Zachodzie SZALEJE kryzys. Co Ty biedny tam jesz? Napisz mi, jak grube są sznycle, gdzie mieszkasz, co pijesz, z kim śpisz i na co Cię stać.

Myślę o Tobie bardzo często i życzę Ci wszelkich ziemskich pomyślności.

Ucałuj mamaszę, chwyć za cycki ode mnie zaprzyjaźnioną Greczynkę i czuj się mocno ucałowany przez Polskiego Kutasa.

Twój przyjaciel
Maciej

P.S. Co do Twojej bezczelnej propozycji „prawa pierwszej nocy" z moją córką, to muszę wpierw sprawdzić, czy masz dostatecznie dużo „prawdziwych pieniędzy". Moja córka nie będzie się zadawała z byle artystą, zapamiętaj to sobie!

P.S. P.S. Stary, czy to prawda, że wszyscy Grecy, którzy przyjechali do Polski, byli członkami partii komunistycznej? A ja myślałem, że Twoi rodzice byli prześladowani przez komunistów. A zresztą to stare dzieje... kogo to obchodzi, kto komu przypierdalał pięćdziesiąt lat temu i za co...

Mój drogi!

Czy historia nowożytnej Grecji jest Ci, choćby po części, znana? Pewnie nie. Ja dopiero teraz, czytając te listy, zdaję sobie sprawę, jak niewiele w gruncie rzeczy wiemy o historii innych krajów europejskich.

Nazwisko Papandreu nie jest mi oczywiście obce. Jorgos Papandreu jeszcze do niedawna był premierem Grecji. Jego postawa w czasie burzliwego greckiego kryzysu, kiedy to polityczna i monetarna jedność Europy stała się niepewna, wzbudza nadal kontrowersje. Ja sama nie ma zdania na jego temat, za mało o tym wszystkim wiem. Jorgos pochodzi z politycznej dynastii greckiej. Jego ojciec, Andreas, był aresztowany w latach siedemdziesiątych przez dyktaturę wojskową, a później musiał na długie lata opuścić Grecję. Dyktatura greckich pułkowników zaczęła się od zamachu stanu w 1967 roku i trwała do 1973. Był to czas nie tylko braku demokracji i swobód obywatelskich, ale i obozów koncentracyjnych dla politycznych przeciwników. Prasa polska obszernie rozpisywała się na ten temat.

Nie pamiętam tego, byłam wówczas zbyt młoda. Zajmowałam się innymi, ważnymi dla kilkunastolatki sprawami. Musiało to być w tym czasie mniej więcej, gdy - po moich długich naleganiach – zamawiałyśmy z mamą buciki u prywatnego szewca. Pantofelki, skórzane, z paseczkiem na przegubie nogi, kosztowały majątek – miesięczną pensję mojej mamy. Zrobione z mięciutkiej skórki, na niewielkim obcasiku, dawały odczuć, że należy się elity. Niewielka grupa dziewcząt w szkole (byłam wówczas w ostatniej klasie szkoły podstawowej) miała rodziców doskonale zarabiających. Byli to klezmer grający na saksofonie na dancingach w restauracjach, właściciel budki z lodami, fryzjerka z własnym niewielkim zakładem fryzjersko-kosmetycznym.

Moi rodzice, tak zwana, inteligencja pracująca (nie mam pojęcia, kto należał do inteligencji nie pracującej) nie dorastali im finansowo do pięt. Zarabiali tyle, że wystarczyło na życie i najbardziej potrzebne artykuły do ubrania i domu. Na wakacje wyjeżdżaliśmy zwykle do rodziny na wieś; tak było taniej. Moja przemożna chęć obstalowania skórzanych pantofelków, tak by dorównać bardziej zamożnym koleżankom, wpędziła moją mamę w lekki popłoch. Długo rozmawiałyśmy na temat pieniędzy. Musiałam z czegoś zrezygnować i wybrać między nowymi kozakami na zimę a pantofelkami od prywatnego szewca. Ten wybór nie był trudny. Kiedy jednak wybrałyśmy się do malutkiego sklepiku pachnącego skórami, nie mogłam się zdecydować, czy wybrać granat czy ciemną czerwień. Oba kolory były piękne, lekko opalizujące. Kiedy wreszcie odebrałam gotowe buciki po paru tygodniach, piękne, pachnące, przez pierwsze dni nosiłam je przy sobie w torbie szkolnej, by co chwila móc na nie patrzeć. Zakładałam je tylko na zabawy szkolne. Żal mi ich było nosić, bo bałam się, że zbyt szybko się zniszczą. Pewnie ciekaw jesteś, jaki kolor wybrałam? Jednak granat, bo praktyczniejszy. Ale wracajmy do Grecji...

Rodzina Papandreu wróciła do kraju pod koniec lat siedemdziesiątych. Na początku lat osiemdziesiątych Andreas Papandreu, ojciec Jorgosa, został premierem Grecji. To właśnie dzięki staraniom Andreasa Papandreu i jego partii Pasok ogłoszono amnestię i greccy emigranci pozbawieni obywatelstwa mogli starać się o powrót do kraju.

Jorgos, który urodził się w Stanach Zjednoczonych, był „najmniej greckim premierem". Studiował i mieszkał w Kanadzie i Szwecji, przez długie lata tułał się po wielu krajach razem ze swoim ojcem. Jorgosowi mówiącemu doskonale po grecku zdarzało się jednak robić błędy. W Parlamencie odpierając krytykę, stwierdził, iż jest dumny z powodu swego pochodzenia: jest Grekiem z diaspory, synem Andreasa, człowieka, który został zmuszony do opuszczenia Grecji.

Ponoć babka Jorgosa była Polką, córką Zygmunta Mineyki, polskiego szlachcica spod Wilna, który pod koniec XIX wieku był naczelnym inżynierem Grecji. Ale o tym już Jorgos nie wspomniał w parlamencie...

„W lustrze widzę starego człowieka"

[list pisany po grecku]

NADAWCA: **wujek Antonis Kounalis, Skopje, Jugosławia**
ADRESAT: **Jorgos Panos, Ateny, Grecja**

Skopje (Jugosławia), 23 lutego 1983

Drogi siostrzeńcu!

Najsampierw musicie mieć cierpliwość i przetrzymać ten ciężki czas. Początki są zawsze najtrudniejsze, później już będzie łatwiej, na pewno. Jaka szkoda, że mój szwagier, a Twój ojciec, tego nie doczekał, przecież nie był jeszcze taki stary.

Jak zrozumiałem z Twojego listu, Twoja mama, a moja siostra, poleciała na Kretę pozałatwiać swoje sprawy urzędowe, no i spadkowe po Twoim ojcu. Nie wiem, czy po powrocie z Krety będzie od razu chciała pojechać do Polski czy zostanie w Grecji na dłużej. To dla niej nie jest łatwa sytuacja, że Markos został ze swoją rodziną w Polsce. Przecież ona jest taka zakochana w swoim wnuczku, Mikisie. Ilekroć się widzimy, pokazuje mi zawsze wszystkie zdjęcia małego, a ma ich przecież niemało.

Jorgos, podziękuj mamie za jej kartkę urodzinową, którą dostałem niedawno. Atoli przyszła parę dni po moich urodzinach, ale wiadomo, poczta nie zawsze chodzi tak, jak powinna. Przekaż mamie – proszę – moje słowa: przede wszystkim, moja kochana siostro, życzę Wam wszystkiego najlepszego, a dla Ciebie, droga siostro, dołączam do tego najlepsze życzenia dobrego zdrowia. Bo wiadomo – zdrowie rzecz najważniejsza, a pieniądze – rzecz nabyta. Człowiek żyje i cieszy się ze wszystkiego, póki zdrowie jest, bo bez tego – przepadł.

Gwoli prawdy lata i mnie coraz bardziej ciążą, anim się obejrzał, a w lustrze widzę starego człowieka. Gdzie podział się ten Antonis, o którym myślę, że ciągle nim jestem, nie wiem...

Mam nadzieję, że jesteście zdrowi, czego Wam z całego serca życzę. Proszę, napisz do mnie parę słów, kochana siostro, i przekaż też moje pozdrowienia dla naszej rodziny i wszystkich starych znajomych. Będę czekał na wiadomość od Ciebie.

Ściskam Was wszystkich
Wasz brat i wuj S.

„Najbardziej buntują się z tego powodu psy”

NADAWCA: przyjaciel Maciej, Wrocław, Polska
ADRESAT: Jorgos Panos, Ateny, Grecja

Wrocław, 25 lutego 1983

Drogi Jorgos, stary przyjacielu!

Dziękuję Ci bardzo za pamięć i za prześliczną karteczkę z Aten. W literaturze obowiązkowej, jeszcze w szkole średniej, czytałem, że Ateny są miastem pięknym, a jego mieszkańcy to ludzie wysoce cywilizowani, uprzejmi, prawdomówni i pijący niewiele. To ja się pytam, Jorgos, co Ty tam robisz? Na pewno ciężko Ci tam wytrzymać.

Nie odpisałem od razu z powodu mojego wrodzonego lenistwa, za które bardzo mi wstyd. Ale teraz byłbym niewdzięcznikiem i żłobem, jakbym się nie odezwał.

Co się u nas dzieje, pewnie wiesz, długo by o tym opowiadać. O polityce pisać nie będę, a hulanek i swawoli teraz jakby mniej. Stan wojenny trwa, więc i ludzie jakby mniej się rwali do zabawy. Zresztą może to z powodu mojej córeczki, że teraz mniej mam czasu na różne przyjemności. Myślałem, o naiwności młodzieńcza, żeby nie powiedzieć głupoto, że takie dziecko to tylko radość i zabawa. A tu masz – tyłeczek trzeba wyczyścić, flaszkę naszykować, w nocy wstać i nakarmić. A żona nie wszystko chce robić sama, powiem Ci, Jorgos, kobiety są jakieś dziwne!

Szkoda, że poza karteczką mało mam wiadomości od Ciebie. Co tam robisz, Jorgos, i jak żyjesz (i z kim, z kim), ciekawi mnie bardzo. Jak głosi fama, poruszanie się po Atenach jest obecnie bardzo niebezpieczne. Podobno miejscowy pirat drogowy rozjeżdża syrenką marki Fiat diesel (wyposażoną w klimatyzację, radio stereo, umywalkę i bidet) wszystko, co znajdzie się na jego drodze. Czy to Ty, Stary Grecki Chuju i Przyjacielu?

Ciekawym też, gdzie tak się rozjeżdżasz w tym swoim wehikule polskiej produkcji, czyżbyś co rana pędził nim na zebranie dyrekcji jakiegoś poważnego greckiego przedsiębiorstwa? A tak poważnie, Jorgos, to nudno tu teraz bez Ciebie, więc czekam, kiedy do nas przyjedziesz. Choćby na krótko, żeby popatrzeć sobie na cały ten cyrk w Polsce. A później możesz znowu wracać do swoich cywilizowanych Aten.

A może już wcale nie zamierzasz przyjechać tu do nas, do Polski, choćby na wakacje? Może już całkiem zapomniałeś, żeś w gruncie rzeczy Polak mały, a nie żaden Grek. Ale póki co, możesz udawać sobie Greka, niech Ci będzie.

Myślę, że jeszcze przyjdzie kryska na matyska (kroska na jorgoska) i powrócisz tu, gdzie nadwiślański (nadodrzański) brzeg. Choćby na krótko, po to, by przejść się po zaplutych ulicach, zajrzeć na dworzec główny, postać w kolejce po papier toaletowy. A może zachce Ci się znienacka bigosu, tego, który jedliśmy zwykle po hulankach w śmierdzącej papierosami knajpie dworcowej? Czego jak czego, ale takiego bigosu nie znajdziesz nigdzie. Nie mówiąc już o knajpie.

Nie bardzo chce mi się pisać, bo jestem okropnie zapracowany i zmęczony. Właśnie odpoczywam po mordędze w Tatrach, gdzie się męczyłem przez tydzień walcząc ze śniegiem, nartami, mrozem i innymi przeciwnościami. Jak już zjechałem z jakiejś góry, to ciupasem chciało mi się wracać na szczyt i znowu zjeżdżać. Męczące to było bardzo, nie licząc już nawet wieczornych pogaduszek przy kominku. Te potrafią człowieka całkiem wykończyć, tak że następnego dnia głowa pęka i pić się chce.

Jak odpocznę, to napiszę więcej, a teraz idę nakarmić mojego niedożywionego psa. Albowiem w Polsce panuje ogólne niedożywienie, bo w sklepach nic nie ma. Najbardziej buntują się z tego powodu psy. Ludzie jakoś sobie radzą, a moja kobieta to nawet jest zadowolona, że zaopatrzenie teraz gorsze, bo chce zrzucić kilka (jej zdaniem) niepotrzebnych kilosów. Nie rozumiem tego, bo bardzo lubię te jej przyległości. Przynajmniej jest za co złapać i co potrzymać.

Tyle na dziś.

Twój przyjaciel Maciej

P.S. Pewnie nie pisałem Ci jeszcze o tym, jak nasza rodzinka powiększyła się niedawno o psa. Parę miesięcy temu wzięliśmy go ze schroniska. Chcieliśmy malutkiego, wesołego kundelka, najlepiej samiczkę, dla córeczki.

Nazwaliśmy ją (samiczkę, nie córeczkę) „Perełka", bo tak nazywała się psina, którą kiedyś miałem w dzieciństwie. Szybko okazało się, że nasza malutka „Perełka" to raczej prawdziwa „Perła" i to sporego rozmiaru. Bestia rośnie bowiem szybko wszerz i na wysokość.

„Jesteś mądrym chłopcem i dobrym dzieckiem”

[list pisany po grecku]

NADAWCA: **matka, Wrocław, Polska**
ADRESAT: **Jorgos Panos, Ateny, Grecja**

Wrocław, 24 kwietnia 1983

Mój kochany chłopcze!

Każdego dnia myślę o Tobie, już trzy razy zaczynałam ten list, ale jakoś nie mogę się skoncentrować, żeby go skończyć. To dlatego, że Ty jesteś tam, w Grecji, a ja tu, w Polsce.

A przecież mieliśmy być tam wszyscy razem... stare serce Twojej matki, moja duszyczko, jest rozdarte. Każdy powrót z Grecji do Polski jest bolesny. Ale też radosny, bo Twoja matka, mój chłopcze, zawsze tęskni za Wami i wnuczkiem Mikisem. Moja podróż powrotna do Polski poszła dobrze. Na lotnisku już czekał Twój brat z bratową i Mikisem i zawieźli mnie do mieszkania teściów. Samolot miał trochę opóźnienia, ale najgorsza była kontrola celna, bo celnicy przyczepiali się do wszystkiego i w końcu musiałam im dać papierosy i wtedy już było dobrze. Więc teraz jestem ciągle jeszcze w domu teściów.

Dobrze, że wnuczek przynosi mi tyle radości. Musiałbyś go teraz zobaczyć, Jorgos, mój chłopcze, gdybyś widział, jaki on jest zabawny i rozkoszny. Na szczęście nie jest przeziębiony, a wszyscy teraz kaszlą i prychają. I ja też.

Jest tylko 2 albo 3 stopnie ciepła i wilgoć wchodzi do kości. Im starsze, tym łatwiej. Wczoraj była u mnie Twoja dziewczyna Anula mnie odwiedzić i dałam jej, co miałam, to, o co mnie prosiłeś. Ona jest taka przejęta tym wszystkim i mama mówi Ci, synku, żebyś za dużo jej nie obiecywał i jak przyjedziesz do Polski, to sam zdecydujesz. Bo mnie się zdaje, że ona szykuje się na ślub z Tobą. To wszystko, co stara matka może Ci radzić, bo wie, że jesteś mądrym chłopcem i dobrym dzieckiem.

Mama przyciska Cię do swego serca.
Bądź zdrów, moja duszyczko i kochany chłopcze

Mama

„Największe przebicie powinno być na instrumentach"

NADAWCA: **brat Markos, Wrocław, Polska**
ADRESAT: **Jorgos Panos, Ateny, Grecja**

Wrocław, 15 maja 1983

Najukochańszy bracie!

Korzystam z okazji że X. wraca do Grecji postanowiłem napisać kilka słów do Ciebie a piszę po polsku bo tak będę mógł napisać Ci więcej i w krótszym czasie sprawa w tej chwili najważniejsza do załatwienia to Twój dyplom a aktualnie niestety nic się nie zmieniło ani nie posunęło do przodu chociaż próbuję już na wszystkie możliwe sposoby na razie bez skutku nawet myślałem już o tym żeby załatwić to nielegalnie i zrobiłem już nawet pierwsze kroki w tym kierunku jednak resztę opowiem Ci jak się spotkamy sam rozumiesz że sprawa dyplomu pozostaje między nami.

Teraz o moim małym Mikisku bo to jest dziecko co tak szybko rośnie i zmienia się prawie z godziny na godzinę że całe nasze życie kręci się aktualnie wokół niego otóż Mikis jest to człowieczek który jest niesamowity pod każdym względem więc wszyscy są nim zachwyceni a najbardziej oczywiście nasza mama dla której jest całym światem Mikis uśmiecha się zawsze i daje nam wszystkim bardzo dużo sił nawet w momentach największych załamań albo jak już sami nie wiemy jak to dalej będzie Mikis urósł ostatnio bardzo zaczyna chodzić mówić a nawet przedrzeźniać babcię a przy tym jest bardzo żywy a nawet czasami niegrzeczny jednak jemu wybacza się oczywiście zawsze a teraz to już na pewno bo aktualnie jest trochę przeziębiony byliśmy nawet u lekarza ale to nic poważnego.

Dobrze choć że nasz ojciec dożył narodzin Mikisa on zawsze tak bardzo chciał mieć wnuki ale też szkoda że Ty nadal jesteś bezdzietny ba nawet nieżonaty ale to być może wkrótce się odmieni tak Ci radzi starszy brat wiadomo rodzina skarb największy.

Jest teraz godzina dziewiąta wieczorem i Mikis już dawno powinien spać jednak nie chce tylko walczy ze wszystkim w zasięgu ręki z misiem ze smoczkiem nawet ze śpiworkiem w którym śpi o teraz na przykład stoi w swoim łóżeczku ze smokiem w zębach i zaczepia nas śmiechem a my czekamy aż się zmęczy i pójdzie spać ale na razie nie chce dużo by o nim pisać ale to trzeba zobaczyć bo słowem nie da się tego opisać jak kocha się takie małe gówno.

Krysia czuje się dobrze i na brak roboty z Mikisem nie narzeka ale ona na nic nie narzeka bo też babcie jej we wszystkim pomagają a najbardziej jej własna matka co dobra jest w zdobywaniu żywności a to teraz na wagę złota bo stanie w kolejkach to gorzej niż normalna praca ja bym się aktualnie w każdym razie z nią nie zamienił już wolę co rano iść do mojej roboty a jeszcze pensję dostaję a ona tylko dziękuję.

Teściowa to ma takie kontakty że jeszcze i miód przywiezie albo wiejską kiełbasę albo kaszankę poza kartkowymi przydziałami a to nam wszystko razem bardzo ułatwia codzienne życie zwłaszcza teraz jak Mikis co i raz jest przeziębiony i dlatego jesteśmy teściom wdzięczni że tak nam pomagają bo przecież nasza mama do kolejki nie pójdzie a i kontaktów żadnych nie ma żeby coś zdobyć.

Krysia aktualnie prosiła by Cię pozdrowić i życzyć Ci żebyś pomyślnie załatwił wszystkie swoje sprawy.

Mama czuje się dobrze i pomaga Krysi w zajmowaniu się małym a po powrocie z Grecji jest u nas codziennie bo nie może wytrzymać bez małego ani jednego dnia teraz jak została sama nie jest jej łatwo rozumiem to i Krysia też rozumie a mama nie przyjeżdża do nas tylko wtedy jak jest przeziębiona bo boi się zarazić Mikisa taka jest zwariowana na jego punkcie zresztą sam pisałeś że w Grecji bardzo za nim tęskniła i codziennie rozmawiała z fotografią Mikisa i każdemu pokazywała jego fotografie a miała ich cały stos.

Narzeka jak to mama i ciągle się czymś martwi aktualnie na wokandzie jesteś przede wszystkim Ty więc jak tylko będziesz miał trochę czasu i pieniędzy to zadzwoń do niej i powiedz jej coś więcej o sobie i swojej sytuacji bo martwi się bardzo i martwi się też że kręcisz na poważnie z Anulą bo sam wiesz jaka była na początku nieszczęśliwa jak się pobraliśmy z Krysią zawsze myślała że będzie miała greckie synowe najlepiej z Ojczyzny albo przynajmniej z emigracji a tu masz nic z tego nie wyszło bo najpierw ja Krystyny a teraz Ty trzymasz się tej Anuli jak rzep psiego ogona.

Pytasz mnie o radę to mogę Ci w tej sprawie Jorgos poradzić jak starszy brat zrób jak uważasz czyli chcesz to się żeń a nie chcesz to się nie żeń bo wiadomo Twój cyrk Twoje małpy.

Tak jak się umawialiśmy kupiliśmy już z mamą trochę rzeczy mianowicie gitarę akordeon lodówkę i telewizor co nie było łatwe bo w sklepach bez znajomości nie dostaniesz nic ale nie chwaląc się Twój starszy brat potrafi jeszcze załatwić to i owo chociaż kosztowało mnie to trochę pieniędzy i latania.

Jeszcze jest jedna zagwozdka bo słyszałem że opłaca się kupić dywan albo dwa żeby wziąć ze sobą ale nie wiem czy pieniędzy nam wystarczy a trzeba by to zrobić szybko bo ceny idą z dnia na dzień w górę właściwie szkoda że nie kupiliśmy tych dywanów w ubiegłym roku jak były dwa razy tańsze niechby sobie leżały ale kto mógł wiedzieć że tak będzie.

Pogadaj że starym Jordanim on się na tym zna bo niejednemu już pomagał w sprzedaży przywiezionych rzeczy to stary wyga ciekawe czy wie gdzie będzie największe przebicie powinno być na instrumentach ale dowiedz się na wszelki wypadek wtedy byłoby lepiej kupić jeszcze jakiś instrument zamiast tych dywanów zresztą nie mam chodów w sklepie z dywanami więc może lepiej dać sobie z tym spokój ale dopiero wtedy jak będziesz na pewno wiedział na czym się najwięcej zarobi dowiedz się szybko bo chociaż pieniądze aktualnie powoli się kończą ale jak trzeba będzie to się coś wymyśli albo pożyczy.

Poza tym proszę Cię żebyś załatwił taką rzecz otóż załatwiłem możliwość przesłania wszystkiego drogą wodną bez jakichkolwiek problemów z celnikami w Polsce i to jest aktualnie dla nas szansa że w Polsce mamy już wyrobione chody ale musisz się dowiedzieć jak wygląda odprawa celna w Grecji dla powracających na stałe Greków co i w jakich ilościach można przewozić po ile czego na osobę ale dokładnie żebyśmy wiedzieli jak to jest z tym mieniem przesiedleńczym i nie stracili żadnej okazji żeby zarobić parę drachm musisz pogadać o tym z Jordanim czy on nie mógłby nam pomóc przy odprawie i czy nie ma dojścia do greckich celników i tak wiadomo że trzeba będzie im coś dać ale inaczej jak to ktoś znajomy a inaczej jak obcy więc dowiedz się o wszystko dokładnie taka okazja trafia się raz na tysiąc lat i nie trafi się nam dwa razy więc oczywiście musimy z niej skorzystać.

Krysia aktualnie prosiła by Cię pozdrowić i życzyć Ci żebyś pomyślnie załatwił wszystkie nasze sprawy.

Kończę i do szybkiego
Twój brat Markos

Aha i też Krysia prosiła żebyś jej kupił bluzkę w biało-niebieskie pasy ale nie folklorystyczną tak jak dla turystów tylko normalną więc nie zapomnij proszę.

„Tak mi przykro, że jesteś już rozczarowany Grecją”

[list pisany po grecku]

NADAWCA: **matka, Wrocław, Polska**
ADRESAT: **Jorgos Panos, Ateny, Grecja**

Wrocław, 31 maja 83

Kochany chłopcze!

X. jedzie do Grecji i przywiezie Ci ten list. Jak Ci poszło, synku, z tymi egzaminami? Czy masz już wreszcie grecki dyplom ukończenia studiów? Dziwne, że w Grecji Twój polski dyplom jest nieważny. Mama życzy Ci wiele sukcesów, ale też wie, że nie będzie łatwo. Już byłoby dobrze, żebyś miał to za sobą i żeby mama mogła Cię znowu zobaczyć i tak mi przykro, że jesteś już rozczarowany Grecją.

Zawsze byłeś taki dzielny i teraz też musisz, moja duszyczko, mieć cierpliwość, bo ludzie, którzy wyjeżdżają, zawsze mają problemy, ale mama wie, że Tobie się uda. Twoja Anula była tutaj z kwiatami na dzień matki. Dziękuję Ci za to, mój chłopcze. Anula opowiedziała mi też wszystkie wiadomości od Ciebie. To dobra dziewczyna ta Anula, ale nie wiem, czy teraz jest dobry czas do żeniaczki. Bo ona chyba na to liczy, tak mi mówi moje serce. To wszystko nie jest takie proste, ale zdecydujesz sam. A twoja mama będzie szanować każdą Twoją decyzję, mój chłopcze.

Myślałam, że sam do mnie zadzwonisz, ale to nie szkodzi, wszystko mi Anula opowiedziała. Że jesteś zniechęcony i rozczarowany Grecją i że masz problemy finansowe. Mama często o Tobie myśli i o tym, że te telefony są takie drogie, więc może lepiej nie dzwoń, mój chłopcze, w każdą sobotę i lepiej oszczędzaj te pieniądze.

Musisz mieć cierpliwość mój drogi. Załatw, co możesz, zdaj te egzaminy i przyjeżdżaj, skoro jesteś tam taki nieszczęśliwy. A później zobaczymy. Razem z listem podaję też pieniądze (100 d), żebyś mógł kupić parę rzeczy dla małego Mikisa. On jest taki podobny do Twojego brata, tylko brodę mu dodać i jest wykapany tata. Jak patrzę na niego, to mi go żal. Tu nie można dostać ani skórki od cytryny, a on jest taki przeziębiony. Ja też jestem przeziębiona, bo pogoda zmienia się codziennie i to działa mi na nerwy. Już tęsknię za Tobą, mój chłopcze, moja kochana duszyczko.

Jak przyjedziesz, będziemy myśleć, jak to wszystko urządzić, bo mama myśli, że tak czy inaczej będziemy musieli wszyscy stąd wyjechać. W Polsce nie da się teraz żyć.

Ale rozumiem też Twoje wahania i każda Twoja decyzja będzie przeze mnie respektowana. Jednak uważam, że to mój obowiązek powiedzieć Ci, co ja o tym myślę. Musisz wytrwać, mój chłopcze – początki zawsze są trudne. Ściskam Cię i przyciskam do mojego serca mama

Mój drogi!

Zastanawiam się, dlaczego wśród listów pisanych do Jorgosa nie ma żadnego od Anuli. Kim była Anula i czemu nie zachowały się jej listy? Może Anula w ogóle ich nie pisała, bo robiła masę błędów ortograficznych? A może jej listy zostały już wiele lat temu spalone albo podarte na tysiąc kawałeczków i wyrzucone do najgłębszej rzeki? Anula okazała się bowiem dziewczyną lekko traktującą życie, o czym Jorgos szybko się przekonał. Z tego powodu ich związek trwał krótko i nie przyniósł owoców w postacie korespondencji.

A może było całkiem inaczej. Być może to właśnie Anuli udało się usidlić Jorgosa i to w krótkim czasie. Ilekroć się spotykali, Anula pozwalała na daleko idące pieszczoty, ale na nic więcej. Rozpalony Jorgos zdecydował się szybko. Pobrali się niedługo po tym, jak Jorgos wrócił do Polski i nadal są razem. Jorgos ma zapewne teraz grecką restaurację albo galerię sztuki na głównej ulicy we Wrocławiu, a Anula pomaga mu czasami, w chwilach, gdy nie zajmuje się domem. Matka Jorgosa nie przebaczyła nigdy Anuli, że z jej powodu Jorgos nie pozostał w Grecji i wrócił do Polski. Nawet fakt, że Anula urodziła później urocze bliźniaczki, niczego w tym nie zmienił.

A może było jeszcze inaczej. Do Jorgosa, który już nie wrócił do Polski, szybko dołączyła matka, a później przyjechał brat Markos ze swoją żoną i synkiem. Żona Markosa długo wzbraniała się przed wyjazdem z Polski, nie chcąc zostawić starych rodziców samych. Jednak to właśnie oni namówili ją na wyjazd. Chcieli uchronić swojego wnuka przed egzystencją w biednym, pozbawionym perspektyw i wolności kraju. To, że pozostawali sami na starość w Polsce, było dla nich łatwiejsze do zniesienia. Może zresztą mieli po cichu nadzieję, że pewnego dnia zamieszkają wszyscy razem w zamożnym, wolnym kraju zachodniej Europy. Albo że osiądą w ciepłej Grecji, gdzieś na wybrzeżu Morza Egejskiego w małym, białym domku z niebieskimi okiennicami. Córka będzie im podporą na starość, a wnuczek Mikis - radością. Tak myśleli, zasypiając na rozkładanej kanapie w swym mieszkaniu na piątym piętrze w bloku z wielkiej płyty, gdzieś na przedmieściach Wrocławia. I być może tak właśnie się stało.

Zachowaj, proszę, mój drogi, przez chwilę ten sielankowy obraz w wyobraźni. Mamy więc skromny, mały domek z niebieskimi okiennicami, w którym mieszka cała rodzina w komplecie. Jako ostatnia przyjechała Anula. Wszyscy czekali na nią z niecierpliwością, a Jorgos najbardziej. Również matka Jorgosa polubiła w końcu narzeczoną swego syna. Anula szanowała przyszłą teściową jak mało kogo. Chcąc okazywać jej swoją wdzięczność i szacunek, całowała zawsze matkę Jorgosa w rękę na powitanie. To właśnie ten niemodny gest poruszył serce greckiej wieśniaczki. Dzięki niemu nie sprzeciwiała się ona już planom żeniaczki młodszego syna z Anulą.

Wesele było skromne, ale bardzo udane. Anula szybko przestała tęsknić za Polską. Nauczyła się mówić po grecku i znalazła pracę w pobliskiej restauracji. Wkrótce cała rodzina przeprowadziła się do większego domu z widokiem na morze. Popatrz, matka Jorgosa właśnie siedzi przed domem na krzesełku i w świetle zachodzącego słońca uczy Anulę robić serwetki na szydełku. Wokół niej bawią się wnuczęta obojga jej synów. Ci pracują teraz w porcie, ale Jorgos z pewnością niedługo obroni dyplom. Dzięki temu będzie mógł poszukać lepszej pracy, na poziomie. Jednak i teraz nikt nie narzeka. Mają dosyć pieniędzy na codzienne zakupy, a w niedzielę mogą sobie nawet pozwolić na lody i butelkę wina w kawiarni. Los jest im przychylny, nareszcie są wszyscy razem. Matka uśmiecha się lekko, ilekroć o tym myśli. Synowe zaprzyjaźniły się ze sobą i co wieczór w wielkiej zgodzie przygotowują wspólne posiłki. Jeśli czasem dochodzi do niewielkich nieporozumień w rodzinie, ma to zawsze związek z wyborem menu. Część rodziny chce mizerię na obiad, inni wolą sałatkę grecką. Kotlety schabowe mają swoich zagorzałych zwolenników, tak samo jak greckie szaszłyki z mielonego mięsa. Nie można dogodzić każdemu, myśli matka.

Tak było, tak było naprawdę, wierz mi...

„Czy są jakieś wiadomości z mojej wioski?"
[list pisany po grecku]

NADAWCA: **matka, Wrocław, Polska**
ADRESAT: **Jorgos Panos, Ateny, Grecja**

Wrocław, 20 czerwca 1983

Kochany chłopcze!

Przede wszystkim życzę Ci wiele sukcesów w Twoich planach. Myślę też, że musisz porozmawiać z P., to on Ci na pewno pomoże, jak załatwić papiery.

Myślę, że najlepiej będzie, jak w Polsce będziesz pokazywać na granicy polski paszport, a w Grecji grecki. Jak będziesz miał czas, mój chłopcze, to kup film do aparatu fotograficznego, tak jak Ci mówiłam przez telefon.

Mama prosi Cię też, żebyś kupił dobrą pastę do zębów Mentadent i coś na przeziębienie dla małego. No i może jeszcze też dla małego do kąpieli małą gąbkę prawdziwą z morza greckiego. Wiesz, taką, jakie w Grecji można kupić w każdym sklepie.

Nie wiem, jak sobie radzisz finansowo, więc jeśli będzie potrzeba, mama wyśle Ci pieniądze przez kogoś, kto będzie jechał do Grecji. Zapytaj ciotkę, czy są jakieś wiadomości z mojej wioski, bo już dawno powinny być, więc nie wiem, dlaczego ciągle ich nie ma. Mama przyciska Cię do swego serca

Mama

„Przywieź kawę, bo tej tu nie ma"

NADAWCA: przyjaciel Maciej, Wrocław, Polska
ADRESAT: Jorgos Panos, Ateny, Grecja

Pozdrowienia serdeczne od Twojego przyjaciela, którego już pewnie powoli zapominasz w greckich puchach, ale powiem Ci, że jeśli zdecydujesz się wrócić do Polski, to przywieź kawę, bo tej tu nie ma.

Maciek

Mój drogi!

Więcej listów do Jorgosa już nie ma. Nie dowiemy się więc, czy Jorgos wrócił do Polski, czy pozostał w Grecji. Jego dalsze przygody erotyczne pozostaną nieznane. Nie dowiemy się też, co stało się z polskimi kochankami i greckimi przyjaciółkami. Od czasu kiedy te listy zostały napisane, minęło już tyle lat. Tyle się zmieniło w Europie od tego czasu, sam wiesz najlepiej. Europa naszej młodości już nie istnieje, a jej mieszkańcy żyją już innymi sprawami. Nigdy nie dowiemy się, jak odnaleźli się Jorgos i jego brat w nowej rzeczywistości, kim są teraz.

Jednak nie smuć się, mój drogi, z tego powodu. Jeśli wiesz, co stało się z Tobą samym, kim się stałeś i jakie doświadczenia się do tego przyczyniły, to możesz sobie wyobrazić, co się stało z Jorgosem. Bo tak naprawdę jest to opowieść nie o Jorgosie, ale o Tobie i o mnie. Albowiem wszyscy jesteśmy wiecznymi tułaczami i poszukiwaczami szczęścia. A po nas przyjdą nasze dzieci, a później ich dzieci, które też będą wydeptywać te same ścieżki życia.